天下文化 豐富閱讀世界

社會人文◎134

美的循環

——談生生世世

釋證嚴 著

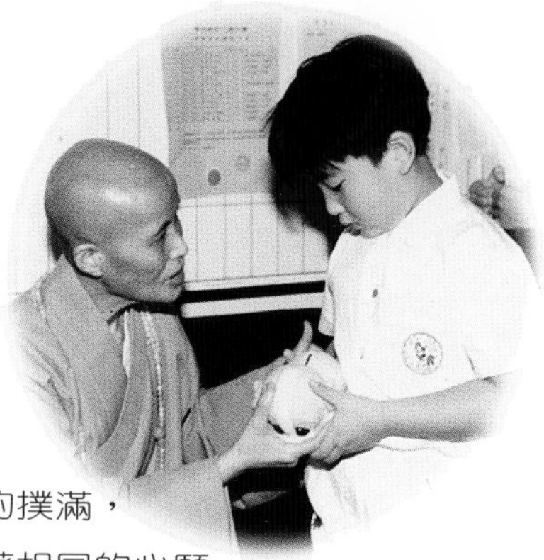

「要給師公蓋醫院」、
「要給師公救人」，拿著心愛的撲滿，
每一個捐撲滿的小菩薩都有著相同的心願。

孩子的心地無污染，如最清淨的蓮花。每個人的本性，也同樣清淨；親近孩子，正如親近最初的那分天真明淨。

募款更募心，

看他們多歡喜地計數著善款；

上人眼裡看到的是小菩薩們數不盡的愛心。

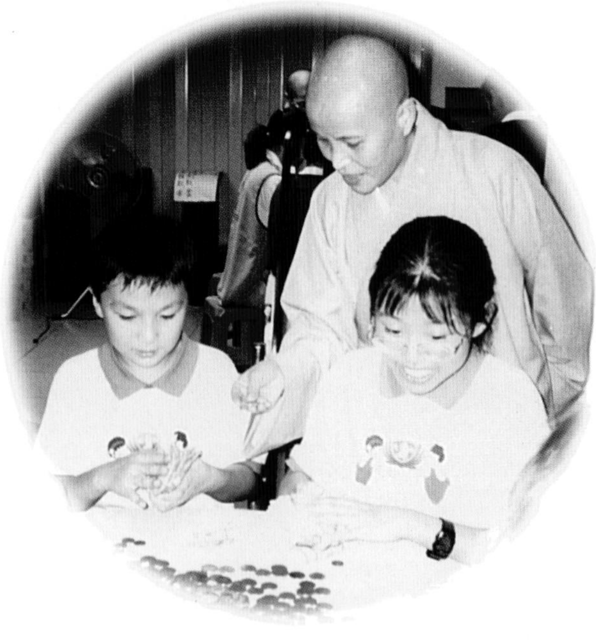

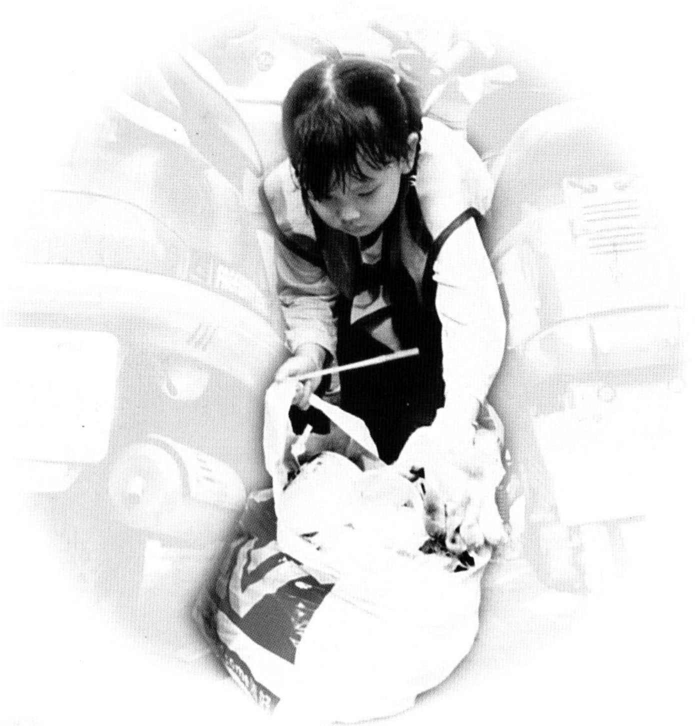

小菩薩也來做環保哦！
認真的神色下是一顆有愛的心。

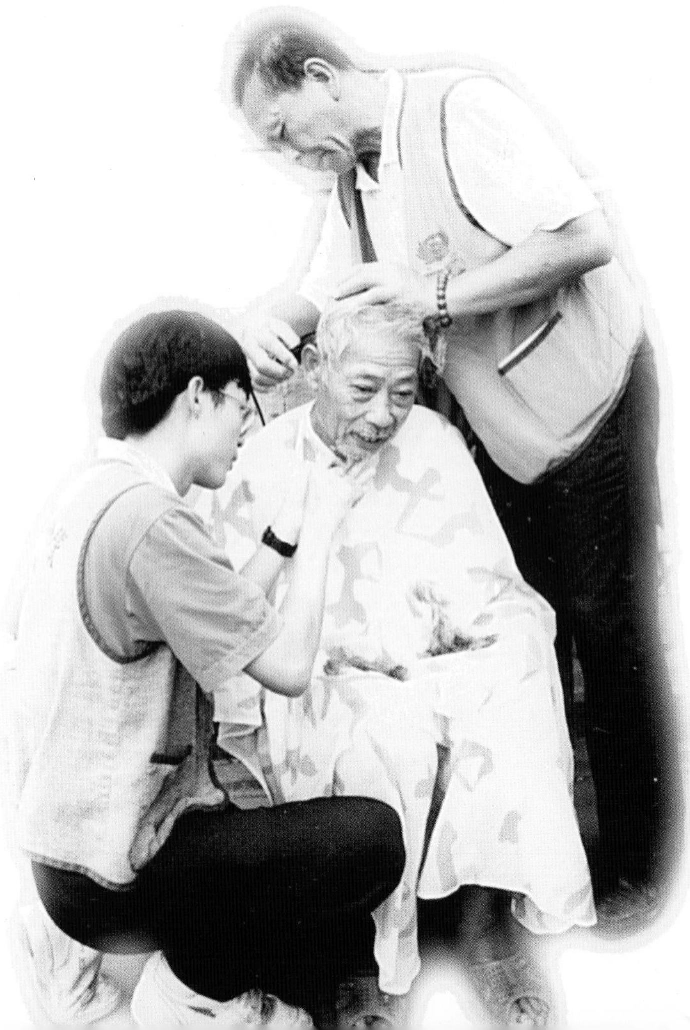

「要照顧好自己的心。」
一株株美善的幼苗，正在成長茁壯，
在慈青的祈願中看到光明、希望。

老中青三人，是沒有血親的一家人。當人人都能沒有分別心地付出愛，這將會是一個最美的世界。

愛地球不是用說的，
而是用做的。
一個人的力量雖小，
但眾人同心來做，
地球也能感受到我們的愛。

做環保的老菩薩，

他們可愛的笑容是打從心裡的滿足。

大地震後，
上人風塵僕僕地慰訪災區，
大愛的種子也遍撒在各地，
希望大愛廣被、化解無常災難。

「九二一」大地震後，
上人諄諄教誨——要用無私的大愛，
為眾生予樂拔苦，
更要合心齊力傳遞下去，
生生世世不息。

目錄

【中篇】自我的焠煉

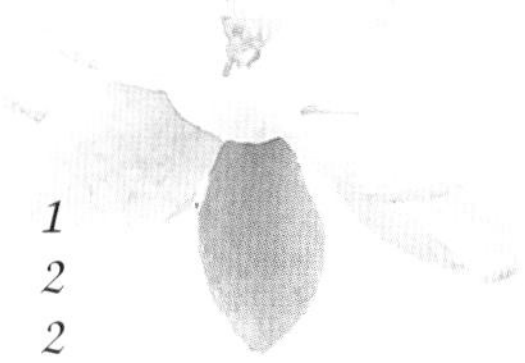

【下篇】自在的終點

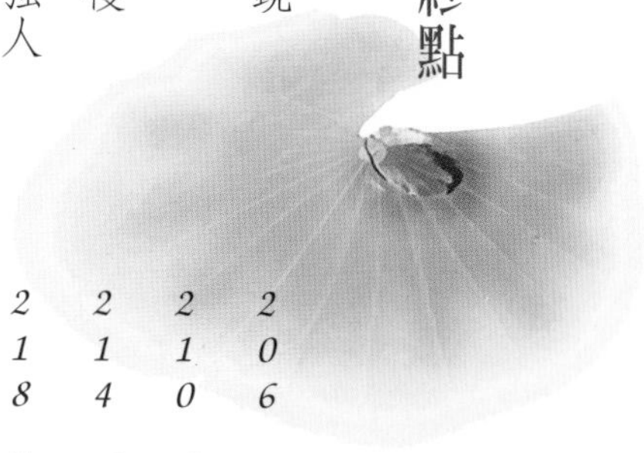

前言

靜思書齋

生是死的開端、死是生的肇始，一個生命的誕生，多半受到喜悅地迎接與呵護，也象徵一個新的希望與開展。然而，也有的是一來到世間，非但未受歡迎與祝福，還飽受摧殘。佛家強調生命的根源是來自心識，其維繫力量是一切因緣業力所感召，生命就在業緣中來去，並不只有今生今世，而是不斷地生死相續。

生命是什麼

生命是什麼?古今中外東西方諸多哲人，也深層地探索。東方儒家以現

世、積極的心境看待生命，孔子言：「未知生，焉知死？」死固然爲必經之途，但生而爲人更應善盡本分，是故大倡孝悌仁義的理念，教導大眾如何學做人。莊子言：「死生，命也，其有夜旦之常，天也。」一言以蔽之，生死是極其自然不過的事，人應處之而安然自在。

西方古希臘哲學家蘇格拉底（Socrates,469-399 B.C.）認爲：身體只是心靈實現其目的之必要條件，心靈才是行動的眞正原因。此外，他的學生柏拉圖（Plato,427-347 B.C.）認爲：人的靈魂是獨立實體，與理念同類，靈魂是先於肉體而存在的，是不死的，且降臨於肉體之前。

東西方哲學歷經不同階段演變的觀點，自宇宙本質的探討，乃至對人和信仰的關注，因層面的不同，對生命的定義與價値觀也迴然不同。無論辯證如何，眞理卻是恆常不變的。

佛教主張人身是由地水火風「四大」所組成。地大，如人身皮肉、筋骨；水大，如人之血液、涕唾；火大，如人之體溫；風大，如人之呼吸。由於業力的關係，生命才繼續存在。在佛典《父母恩重難報經》中描述，有一回佛陀領眾南行，在路邊見一堆枯骨，便五體投地恭敬地禮拜，並向滿是疑惑的阿難尊者解釋：「此堆枯骨，或是我前世祖先、多生父母，以是因緣，我今禮拜。」

從中可明瞭，佛陀已往返人世許多回，並且告誡眾人：生命，並非只有一生的老死之後就全然斷滅，而是不斷地在生死中輪轉不息。生命的起緣是來自一切因緣，一如大地萬物因生命的流轉而顯出萌芽與凋零，一年四季輪替不息，猶如無聲的說法。

世間眞相與眞理

《八大人覺經》中，第一覺知「世間無常，國土危脆，四大苦空，五陰無我，生滅變異，虛僞無主，心是惡源，形爲罪藪，如是觀察，漸離生死。」即剴切指出，世間成住壞空皆是無常，心是造作一切的根本源頭。綜觀今日

天災人禍時有所聞，證嚴上人曾言及人生無常：「四大調和就是平安。宇宙的四大若不調和就會發生災難，例如：地不調有地震；水不調有水災；風不調有颱風；火不調有旱災。當今人爲的破壞，更造成諸多不調的現象，如空氣污染、土地污染等等。」

放眼天下，在世紀末的現代，工業科技發展如異軍突起，大大改善人類的物質生活，但是人心並未因此而滿足，在不斷地追求物欲下，心靈益顯空虛；因過度開發而直接、間接地戕害了環境生態，致令天候異常，「聖嬰現象」、「反聖嬰現象」日趨嚴重。

但見一九九八年阿富汗發生震災、中南美受颶風襲擊；一九九九年科索沃因種族爭戰死傷慘重，土耳其發生大地震，天災人禍的巨大浩劫，一次次奪去多少無辜的生靈，摧毀了多少家園！即使生長在臺灣寶島，近年或因颱風引發水災、土石流，還有慘痛的空難事件，更嚴重的是「九二一大地震」造成全臺近百年來最大的傷亡……，讓人不禁憂心忡忡，大地反撲何時休？

世間的悲劇何時止息？

現今道統日漸式微，社會亂象頻仍，過去如《禮記》〈禮運篇〉所述：「故人不獨親其親，不獨子其子，使老有所終，壯有所用，幼有所長，矜寡孤獨廢疾者，皆有所養。男有分，女有歸。貨惡其棄於地也，不必藏於己；力惡其不出於身也，不必爲己……」的倫理觀念，逐日被「速食文化」啃食殆盡。

究竟社會發生了什麼問題？讓孩子們不想留在家裡，也漠視父母親的感受？老人族群蜷縮社會一隅，更是常被人忽視。其實，人倫道德，是生而爲人最純眞、樸素的愛，是世間的基石；若人倫道德不彰則家庭紊亂不安，社會也將動盪失序，如何恢復固有倫理道德，實乃當務之急。

二十世紀最負盛名的教育、哲學家杜威博士（John Dewey,1859-1952）認爲：人生來具有「分化」、「結合」兩種天性，分別產生利己與利他心，社會是否穩定與發展，端視此二者的協調與平衡。的確如此，上人言：「人與人之間，若有善的互動、愛的力量，這個社會一定是和睦且充滿溫暖。世間是福是禍，就看人心向善或向惡，人人向良善的道路走，世間才有平安幸福可言。」

積極的態度面對生死

在本書上篇〈心香處處聞〉中，年幼的孩童日日投硬幣存撲滿，爲的是「幫忙師公蓋醫院」，在幼小的心靈開啓一扇愛的窗，延續到他們成長後，心中的善依舊不斷增長；像慈青在醫院當志工服務病患，於生活中體悟生命的意義與價值，因而能更積極發揮良能，淨化自心；還有許多善心人士，默默地在社會上奉獻心力，一如濁世清蓮，非但不受外在環境的染著，還能散發馨香，美化人間。

佛陀言：「心、佛、眾生，三無差別。」人人皆有佛性，但是，心也是起惑造業的源頭。《楞嚴經》云：「一切眾生從無始來生死相續，皆由不知常住眞心，性淨明體，用諸妄想，此想不眞，故有輪轉。」回歸清淨本性，還諸本來面目，正是我們亟需修學之所在。

本書中篇〈自我的焠煉〉中，提及佛陀在世時，有位長者請示佛陀，如何去除病苦。佛陀告訴他，若能身病、心不病，病痛即可解脫。凡夫都有五蘊（色、受、想、行、識）的煩惱，一旦生病，更使生活籠罩在痛楚與死的恐懼中；若能徹底了知身體是假色，使老、病、死的一切歸于自然，身體的病痛自然不會如此強烈。上人嘗言：「把身心的執著放開，在日常生活中盡本分事，才能發揮人生眞正的價值。」如能體悟眞諦而不迷亂，自然心境清明，不受無明煩惱繫縛。

佛經云：「人命在呼吸間。」我們身處的世界，佛經稱爲堪忍的世界——三界無安、苦多樂少；許多欲樂皆構築於虛幻的感受，待樂境過後，隨之而來即是傾巢的種種苦受。西哲叔本華（Arthur Schopenhauer,1788-1860）認爲：人的生命歷程，本就是一部痛苦史，因欲求無止境，即使獲得滿足也是短暫的。上人嘗言：「人生沒有所有權，只有使用權。」身體既是四大假合所組成，唯有善用生命的良能，才能迸發出璀璨的光輝，哪怕是走到人生終點站，依舊可以歡喜自在。

古人云：「人固有一死，或重於泰山，或輕於鴻毛，用之所趨異也。」死亡，是每個人無法逃避的必經之途，國人常諱之不談，總覺得不吉利。而且一旦瀕臨人生的終點站時，無論老幼，很多人對往生後的去處皆感到茫然與恐懼。世界主要的宗教，如基督教、佛教、回教、印度教及猶太教的教義中，均教導人們以積極的態度面對死亡。而佛教如何引導臨終之人，以安然自在的豁達心境面對生命的終點站？弘一大師曾言：「臨終雖恃他人助念，諸事如法，但自己亦須平日修持，乃可臨終自在。」上人曾教大家要認清生死：「生命乃隨著業力輪轉不息，最重要的是必須去除煩惱；煩惱不除，生死不了。」

於本書下篇〈自在的終點〉即以諸多實例，呈現出縱使到了生命的盡頭，只要能放下執著就能超越生死的煩惱。其中或有癌症患者，忍住病痛不做化療，爲的是捐出大體供醫學研究；也有老人們在臨終時，以安詳自在的心境，譜下生命的休止符。

上人言：「面對坎坷無常的人生，還好有一群人間的活菩薩，以愛心投入拔苦予樂的工作，不只在臺灣，而且遍布全球。人生一切都是從心開始，淨化人心、自立立他的工作，猶如攀登高山，雖然山路難行，若能一步步持續向前邁進，即可達到目標。」

如何在短短數十寒暑的生命歷程，烙下無悔的歷史足跡？這一切端視我們如何看待生命、尊重生命、發揮良能而無忝所生。

心香處處聞

純淨的本性，散放著馥郁的心香，可以沉澱莫名的浮躁，洗滌染塵的煩惱，可以澄清混濁的心湖；照見清澈的自我。

小菩薩的故事

人生應配合天地宇宙的運行，人有生老病死，而大自然的氣候有春夏秋冬，兩者之間息息相關。生老病死是人生的過程，但是，到底「死」是什麼呢？其實，只不過是「色身」的死而心靈則永恆不死，因為身體死了，神識還會隨業受報、改形易貌。我們的「本性」根本就沒有死，它就像宇宙的時序一樣，四季輪替不斷。

佛教講生死輪迴，有人問我：「死就死了，怎麼知道有輪迴呢？」我們可以用心去探究，不只在佛教的經典中有這種理論，過去的祖師大德也都很強調「生死輪迴」的說法。除了佛教之外，凡是世界性的宗教也都有靈魂的說法。

例如：天主教有「信主者上天堂」的講法，他們也認為身體死了，靈魂會上天堂或下地獄。而佛教的理念是「為善者生天，為惡者下地獄」，平時所做的行為會形成業力，所以有一句話說：「萬般帶不去，唯有業隨身。」如果常常發好願，就能乘願再來做好人；若是帶著惡念而去，再來人間就會多業障。

人死後，是不是還會再來人間呢？在我的生活經歷中，常常感受到確實是有的。比如：慈濟世界有很多小菩薩，他們一聽到慈濟就會起歡喜心，看到我很自然就有那分恭敬心，可說是潛意識中所起的作用，也可以說是他們的本性中，深深地種了一分善因種子。

有一次行腳到臺北時，一位老委員帶著她的媳婦和小孫女來看我。這位小菩薩才兩歲多而已，那天她蹦蹦跳跳地跑了進來，手裡還提了一樣很重的東西，後來拿不動了就把它放在地上。

她站在我的面前，便雙手合掌說：「師太，頂禮。」很自然地就拜了下去。我說：「好了，一拜就可以了。」她還是站起來，說：「師太，頂禮。」連續三拜。然後努力地把錢筒拿了起來，搖搖擺擺地提到我面前。我問她：「這要做什麼啊？」她說：「給師太蓋醫院。」我把它接過來，哎呀！好重！

她看到大家把錢倒出來，就把錢筒抱回來跟媽媽說：「我要五塊錢。」媽媽問：「妳要五塊錢做什麼？」她還是說：「給師太蓋醫院。」媽媽便從口袋拿了幾個銅板出來，她一接到就要把所有的銅板丟進錢筒裡。

有位委員牽著她的手說：「師姑帶妳去買糖。」她馬上把委員拿去的錢搶回來，一個個放進錢筒，說：「這個要給師太蓋醫院。」他們拿走錢筒，逗她說：「這是要買糖給妳吃的耶！」她又把它搶回來，嘟著嘴說：「這要給師太蓋醫院。」說完，還瞪人家一眼呢！

她的奶奶說：「這小孫女很奇特，常常向我要五塊錢，說是要給師太蓋醫院。」她說每天早上買菜回來，小孫女如果聽到她要進來的聲音，一定記著跑到門邊去等她，拉著她要五塊錢。

聽了這個故事，再看到這個小女孩，她真的是心心念念不忘——給師太蓋醫院。讓我想起，慈濟是從五毛錢開始的；那時候會員們每天都會放五毛錢在竹筒裡，作為濟貧基金。一直到蓋醫院，建院募款的種種辛苦，這些種子已深植在老委員的心裡，小菩薩或許是已往生的老委員「再來」的吧！

這個小女孩一歲時，在客廳看到我的相片，手就指了一下；奶奶告訴她：「那是師太。」她就趕快合掌頂禮，從那時開始，她每天看到相片，就會雙手合掌叫師太，然後頂禮。這是心靈上的一分契合，要不然一歲多的小孩，怎會知道要起尊敬的心；又怎會一聽到銅板的聲音，就想到要「蓋醫院」？

可見我們的本性是永恆的，它會隨著業力而來來去去。因此在人間想要擁有一個好的人生，必定要時時發好願；願心很重要，唯有堅持善願，未來的人生才不會亂了方向。

清新的人生

在精舍，每天清晨都會聽到百鳥和鳴的聲音，多麼富有生命力的朝氣啊！人生真的要日日把握住「清新的生命」，「清」是清淨，「新」是日日新；若有這分淨潔的心境，每天都是新的開始。

人生，確實是「人之初，性本善」。有一回在臺中時，曾教授拿了一些中區兒童精進班的作文和資料讓我看。看到這些孩子的作文，心裡實在很高興，覺得未來充滿希望。

譬如：有一個小學一、二年級的小孩，他有三個願：「第一個願，願天下人無病痛；第二個願，願師公常常來看我們；第三個願，願功課成績能永遠都在十名以內。」這是多麼好的願啊！

第一個願，他祈求天下的人都不會生病，真是人之初、性本善。他看到別人生病，知道病痛的苦，所以，小小年紀就曉得憐憫眾生，祈求天下人都不生病。第二個願是希望師公能常常去看他們，這表示他的人生願望——向著理想追求的心態。第三願是精進，他要認真念書，希望功課都在十名以內。看，這麼小的孩子，就有這分向上的心。

再看裡面資料的內容，是兒童精進班的班媽媽們所安排的課程，還設計了一些活動，讓孩子們感受殘障者生活的不方便。她們用黑布把孩子們的眼睛遮起來，讓他們學盲人走路；遇到樓梯的地方，讓他們知道前面有障礙，該如何克服。也設計如果沒有手時，要怎樣穿衣服？並讓他們感受用嘴咬著筆畫圖的滋味。上完這些課程，孩子們的感受是：「有眼睛真好！」「有雙手很好！」

「四肢健全的感覺真好啊！」希望透過這些活動，讓他們懂得珍惜四肢健全、耳聰目明的福分。

班媽媽又在紙上畫了一個圈圈、一個四方形和一個橢圓形，讓孩子們腦力激盪，運用這三種圖形變化出別種圖形出來，並解釋其中的意思。

有的孩子單單從這三個圖形，就變化出很多種圖案。其中，有一個孩子在圓的圖形畫上眼睛、眉毛、鼻子、嘴巴，表情很快樂的樣子，「最美的臉孔就是微笑」，他上面的題字就是這樣寫的；在四方形上，他畫了一棵棵的稻子，一旁寫上「種福田」；在橢圓形上面則畫了三片葉子，中間點上一點，題字是「一切唯心造」。這些都是小學三年級學生的創作，他們的想像力真豐富啊！

在靜思語的教學中，老師們也很有心得，讓孩子們能把所學的運用在日常生活上，影響他們家庭。孩子們的心靈天天都在淨化，每天都是「清新向善」的日子。從生活化的教育中，孩子知道應該如何珍惜人生，這是多麼蓬勃、有希望的世界。

孩子們的心天真無邪、少煩惱。大人如何教，孩子就怎麼學，所以，赤子之心最是清新啊！佛陀教育我們要有赤子之心、駱駝的耐心和獅子的勇猛心。人生，應該要朝著這個方向去實行、學習，只要方向正確，不管路途有多遠，能夠持之以恆，就會到達所追求的目標。

看優點的人生

有一回我到臺中時，有一群小菩薩來看我。其中有位小女孩進來後很虔誠地頂禮，姿態很莊嚴。

我問她：「妳是不是兒童精進班的孩子？」

她說：「對啊！我有參加兒童精進班。」

「在哪一班？」

她說：「我在信心班。」

「信心班是最小的吧！」

「對啊！」稚嫩的童音，清晰地回答。

我又問：「妳在精進班學到了什麼？」她想了一下說：「我學到讚美別人。」「妳會讚美別人？那妳看到師公，要不要讚美幾句？」她站了一會兒，看了看說：「師公，您好有愛心、好慈悲！」嘴巴好甜哦！她才七歲而已。

我說：「妳真的很乖、很可愛。」她聽了很高興。那時剛好有一對小兄弟走進來，也是只有七歲。我說：「來，你也是兒童精進班的小朋友吧？有沒有學到什麼啊？」他走到我前面說：「有。」我說：「這個小妹妹好可愛，學會讚美別人，你會不會啊？」

他轉過頭看了她一眼後，說：「她有什麼好？」我說：「怎麼可以這樣子呢？她會讚美別人，就是一個可愛的小菩薩。來，你多看一眼，看看她有多好。」他還是固執地說：「她哪裡都不好。」

我就跟小女孩說：「來，妳看看他，妳要讚美他嗎？」她說：「他也沒有哪裡好。」「不對啊！妳不是學到讚美別人？來，他不好的地方妳不要看，就看看他有什麼優點？」她很天真地一直看他，然後說：「嗯，他今天穿得蠻整齊的，很可愛。」

我就跟小男孩說：「你看！人家讚美你穿得很整齊。來，你再多看她一眼，看看她哪裡好。」他看了看，說：「嗯，她會讚美別人也蠻可愛的。」我笑說：「你們兩個人會互相讚歎，確實是精進的小菩薩，有賞！」我就給他們每人一塊糖，兩人都很高興。

看看孩子的世界，他們多天真啊！剛開始時，他們都很坦白、很天真地直說第一印象。當我叫他們再看一看、想一想對方有哪裡值得讚美，他們就會再看一次，然後發現優點、互相讚美。但是，我們大人有沒有辦法做到這樣呢？很難吧！大人所看到的通常都是別人的缺點，對於別人的優點往往不會用心去看。

人總是喜歡找別人的缺點，這也正是自己的缺點，我們要有包容之心，才能看到別人的優點。若平常都在「互相找缺點」的生活中度過，那麼彼此就充滿了缺點；這種「缺點的人生」是令人遺憾的，凡夫就是在缺點中走得非常坎坷。我們若要走出一條真正康莊平坦的道路，必定要先把人人的缺點填補起來，讓對方的優點能夠展現，這才是人生的真寶。

我們要常常反觀自己，看看自己有什麼缺點？對方雖然對不起我們，若能把心靜下來，認真找出對方優點，那就可以原諒、讚歎對方了。如此，對方也會冷靜下來看我們，在我們身上看到優點。

像這兩位小菩薩，小女孩能讚歎別人，小男孩卻破壞了氣氛；叫小女孩多看他一眼，看看小男孩哪裡有優點，她靜一靜，說：「嗯，他今天穿得很整齊，很可愛。」這時氣氛就緩和多了。而小男孩再多看小女孩一眼後，他也說：「她很善良，也很可愛。」小孩能這樣，我們大人可要多學習啊！

在凡夫的世界裡，有時會「碰」到逆境，那是難免的；此時就要看我們如何調適自己的心，要把遇到的境界用來自我觀照。若沒有境界來碰撞，我們常會忘了自己。所以，要感恩有外在境界的提醒。

在人生道上，我們要學習去發掘每一個人的優點；在待人接物上，要從彼此的優點去看待。若能這樣，人人的優點也就集中在我們身上，能擁有一個「看優點的人生」，自然就能走出一條平坦的康莊大道。

真誠的愛

赤子之心通常都很天真無邪又善良，這是與生俱來的本性智慧，雖然後天環境會影響人的認知，促使人們去認識身旁的人事物；但是本性智慧是永遠存在的，而知識則取決於日常人事物之間的接觸。

有一年過年時，有位才二歲多、長得很可愛的小小菩薩來向我拜年說：「師公，新年快樂！」我就拿糖果給他。他拿了糖果很高興，但是，跑了一圈之後又回來告訴我：「師公，這個給您吃。」我說：「為什麼？這是剛才我給你的啊！」他說：「我不能吃耶！吃了會蛀牙。」

我想起來了，他喜歡的是果凍。我就問他：「吃果凍會不會蛀牙？」他想一想說：「果凍不會。」而且再多的果凍他也不嫌多，很天真地打開兩個口袋等著要裝。從這件小小的事情，我們可以知道，這麼小的孩子他也有知識，這些知識是從大人的教導中慢慢學到的——「不要吃那麼多糖果，糖果吃多了會蛀牙」。但是，他一看到果凍就很純真了，因為他喜歡吃，就不會把蛀牙這件事放在心裡，而以「直心為道場」，自然地追求他所喜歡的，這是他真誠的喜愛。

另外，慈濟人還有一種真誠的愛，就是付出而無所求，所以能坦然面對很多病人；到很多孤老無依者的家庭去做居家關懷，即使他們的環境再髒、再臭也不怕，因為大家具有真誠的心所以不懼怕，可以一心一意勇往直前。

人生難得能保有那分純真的愛。我很慶幸在慈濟世界長大的孩子，他們的心都很純真。每個孩子只要一有零用錢、壓歲錢，就馬上想到要給師公蓋醫院，我說：「既然是壓歲錢，就多壓幾天嘛！」很多孩子都會說：「給師公我就安心多了。」

有一次從高雄來了三位小菩薩，他們三姊弟要回去前到書房來看我，哥哥說：「我有空一定會常來看師公。」弟弟就說：「我還要繼續存錢給師公蓋醫院。」這就是一念善心，這分純真的愛若永遠保存著，孩子就不會變壞。

看看每位小菩薩都很可愛。年初還有一家四個小孩同時來，阿嬤、舅舅在美國，都給他們美金當壓歲錢，他們來看我，每人還送給師公一盒糖果和一個紅包。

我問他們：「我給你們的壓歲紅包都要還我嗎？」妹妹回答：「不是，這比昨天師公給我們的還要多。」我拿出來一看，是兩張一百元的美鈔。我說：「這麼多啊！」他說：「是啊！這是美國舅舅給的兩百元美金，給師公蓋醫院。」兩個較大的孩子都是兩百元，我就問弟弟：「你比較小，有沒有少一點？」弟弟說：「沒有，我比哥哥、姊姊更多一點。」隨後又拿出一個大撲滿，很歡喜地放在我的面前。

為什麼年紀愈小的會愈多呢？因為弟弟第一次來慈濟的那一年才三歲多一點，從那時開始就知道要存錢給師公蓋醫院，三歲還不會花錢，所以，他早就養成一拿到錢就放進撲滿的習慣，一直到現在快要上國中了，還是保持同樣的習慣。

所以說「愛要從小培養起」，天天看到這些小菩薩長大，天天看到一群群天真無邪的孩子，就覺得我們的下一代很有希望，未來的社會一定會更好。

「容易懂事」

慈濟大愛電臺，有個「歡喜逗陣來」的節目。那天播出的內容是高雄的一位老委員，他將近八十歲了，還是很用心投入，常常騎著摩托車去收會費，他說做好事絕對不認老，所以都說自己才十八歲。

我們知道慧命就是人的本性；人的本性就是佛性，也就是清淨的智慧。本性是善的、是慈愛的，人人都有潛在的愛心，無分年齡的大小。上一次我到臺北，有很多小朋友來看我，這些小朋友都非常可愛，其中有一位今年才五年級，由媽媽帶他來，他捧著一個又長又大的撲滿，好重好重。媽媽跟他一起扛過來，他很恭敬地拿來給我。

我問他：「這要做什麼的？」他說：「要給師公蓋醫院、蓋學校、救苦難的人。」他還說：「我自己賺錢，我要當榮譽董事。」他媽媽笑說：「這個孩子從小學二年級開始，就一直說要當榮譽董事了。」

因為看到別人授證時，他就問媽媽：「他們不是委員，是做什麼的呢？」媽媽跟他說：「那是榮譽董事，他們要幫師公蓋醫院、蓋學校，還要救苦難的人。」從那時候開始，他就發願將來也要當榮譽董事，因為當榮譽董事可以做很多好事，還可以救苦難的人，小小年紀愛心就被啟發了。

爸爸跟他說：「那你要乖啊！爸爸就替你捐錢，讓你當榮譽董事。」他說：「不要，我要自己出錢。」爸爸就問：「你哪來的錢呢？」他說：「我要乖，我要賺錢。」爸爸、媽媽就問他：「你怎麼賺法？」他很認真地說：「很多小朋友都很用功，爸爸、媽媽就會給他獎學金。」

他爸爸為了鼓勵孩子就說：「可以啊！你認真用功，不要調皮，我就給你獎勵金。」他又說：「有的小朋友幫媽媽做家事也有工資。」媽媽也說：「好，你如果幫忙洗碗和掃地，我也給你工資。」從那個時候開始，他就將零用錢放進撲滿，獎金就存在郵局戶頭裡。

他真的是榮譽董事——「很容易就懂事」。在二年級時，只是看大人上臺授證，而且沒有穿委員的制服，就會問：「他們不是委員，是什麼？」媽媽的回答，啓發了赤子之愛。而且他不只是一時的發心，從二年級開始直到現在五年級了，三年來都持之以恆。這不就是清淨的愛嗎？所以我說愛心的力量很大，不在年齡、不在背景，最重要的就是一顆清淨的心。

常有人感歎：「世風日下，人心不古。」其實，社會上還是有很多人在默默行善。尤其是慈濟人，不論是老、中、青菩薩，還是小小菩薩都有那分堅定的毅力，因此，我深信佛陀說的——慧命無年齡之分。慧命是永生的，也是最清淨的智慧，我希望把這股清淨的、愛的力量匯歸於人與人之間，使人人懂得互敬互愛。

就像海外的慈青，他們每年放假時就相約回臺灣。上一次我在臺中，他們也在臺中分會辦幹訓營；很感謝中區的委員們給這些慈青豐富的愛，讓他們有家的感覺，孩子們在那幾天都學習得很充實而歡喜。

這群孩子回花蓮之後，他們很積極地要為全球慈青立下組織架構，不論是電腦資料或是網路，都很用心地在籌畫。看看全球慈青都回歸到心靈的故鄉，用心地培植這顆愛的種子，無非也是為了要把慈濟的種子帶回僑居地去勤耕福田。

我常說：「福田一方邀天下善士，心蓮萬蕊造慈濟世界。」只要肯播種就會有成果。每位慈青就像朵朵蓮花，花一開果實就能展現，一朵朵心蓮，可以讓這個世界更清淨、更美好。大家都有心一同為愛而付出。由此可見未來的時代、未來的世紀應該會更好！

心靈的陽光

世間之路好像很坎坷、難行，為什麼會很坎坷呢？因為同行者沒有心連心、手牽手、互助互愛，所以，現在所看到的社會現象，大都是對立、抗爭的場面，真是讓人擔心！

但是反觀慈濟世界，讓人覺得很有希望、也很安心。在暑假時，許多老師和國內外的大學生回來慈濟醫院當志工，大家都心念一致地要付出那分愛心。大愛電視臺也曾經報導一群很可愛的海外慈青同學，他們從全球不同國家回來，有的是大學生，還有些碩士、博士研究生。

他們不只聰明乖巧，最可貴的是每一個人都很有愛心。他們愛慈濟、愛臺灣，所以每年一到暑假就趕著回到臺灣，回來只有一個目的——趕快投入慈濟。一來，他們要學慈濟的大愛；再者，他們要奉獻愛心給需要的人。

連續幾個星期的志工期間，他們付出真誠的愛給醫院的病人，希望能減輕病人心靈的痛苦，分散病人身體上痛苦的感覺；所以他們唱歌、跳舞娛樂病人，甚至扶持阿公阿嬤，很親切地幫他們按摩、搥背，很有耐心地聽阿公阿嬤說故事。

有些老人很感歎：自己有兒子、孫子，但是卻沒人來關懷他。「沒有關係，他們沒時間來，您就把我當孫子，我叫您阿公，也是您的孫子呀！」慈青就安慰老人家，這麼貼心地付出自己的愛。

他們除了付出關懷，讓病人歡喜、自己也快樂外，最令人高興的是這些年輕人得到了深刻的體驗，以前不覺得自己很幸福，不覺得父母很疼愛他們，也不懂得要回報父母恩。但是，在醫院這幾天，他們看到——幼小的孩子生病了，作父母的那種著急心疼、無微不至的愛，從中也體會到自己的父母是如何地疼愛他們。

另外，在病房也看到老人的孤單寂寞，病痛時沒有人照顧的確很淒涼。內心一直覺得：他們的子女很不該，怎麼不來關懷父母呢？自己也會反省，甚至默默立願——我絕對不會讓父母老來病痛時，還孤單沒有人照顧。

這些年輕人不只在醫院付出，更走到戶外做居家關懷，這些個案都是由慈濟醫院出院後，我們還不斷在追蹤、照顧的對象。尤其是老人、貧窮人家或是家庭狀況異常的人。我們了解對方的背景，在他們出院之後，仍鍥而不捨地追蹤與關懷；所以這些年輕人一來，常住志工也會帶他們去機會教育。

在這過程中，常常能發現一些很動人的故事，其中有一位老榮民，他無依無靠，本來一開始很孤僻，覺得別人對他好是一種施捨，漸漸就與外界隔離。他生病時來住院，志工們以愛心慢慢輔導、接近，終於打開他的心門，他覺得志工很真誠、很親切。

當他的病已經治好時，醫生告訴他：「阿公，您可以出院了。」他卻說：「為什麼要出院？我住在這裡很好啊！有這麼多人關心我，我不要出院了。」常住志工又慢慢輔導他，告訴他身體恢復健康就要回去調養。但是，他覺得回去就與志工分開了，他很不捨，志工們就說要常常去探望他，好不容易他才願意出院。

此後，常住志工時常帶一些年輕人去看他。這位阿公很勤奮，住處的圍牆都是他自己去撿石頭來圍成的，在屋前屋後還種了許多青菜及玉米。

年輕的志工們很可愛，有一次要幫老人家擦背，拿了一條毛巾就拚命擦。常住志工看了看就問：

「阿公，您的毛巾是否可以換一條？」

「可以啊！我有五條。」

「剛才那條怎麼那麼髒？」

阿公才說：「那條是抹布。」孩子們很不好意思，趕快再去提水，替阿公再洗擦一次。

由實際的互動、付出當中，可以打開老人的心門，讓他的心靈世界透進陽光，感受到社會的溫暖；此外，也讓孩子們懂得感恩。像這位榮民常歎道：「我老了，沒有用了。」孩子們就會告訴他：「誰說的，以前您出生入死保衛國家，我們今天能過這麼安定的生活，這都是您們努力而來的，所以應該要感恩您們老人家啊！」

他是一位老兵，以往常覺得自己舉目無親，又病又孤單，難免內心深感淒涼。而這一群年輕人打開了他的心門，讓他知道世間處處有溫情，何必骨肉親，所以現在他的心境很開朗。這群年輕人能把握時間，發揮自己的良能，不但安慰了孤老、病苦的人，也讓自己從「做中學」得到許多寶貴的心得體驗，這股活力不就像和煦的朝陽嗎？

一分使命

中國話是很有意思的，比如「你怎麼看不起我？」我常想：為什麼會被人「看不起」？就是因為把「我」看得太重了。為什麼人家會對你不滿意？因為你把自己放大了，所以沒有辦法讓自己「鑽進」別人的心坎裡，彼此無法接受，這樣就會產生許多痛苦。

慈濟的文化就是生活的教育，如何生活得快快樂樂？這就要先學做人。學做人應懂得怎樣愛人，「愛人者，人恆愛之」，假如不懂得待人的方法，就表示不懂得做人的方法。

除了學會做人之外，還要學會做事。該做的事就要無所求、認真地去投入；不該做的事應以智慧克制自己。我們要預防自己的行為產生偏差，佛教講究「戒律」，戒可以預防犯錯；假如不小心犯了錯，也要馬上改正。

能常常保持自我警惕的心，懂得如何做「對」的事，這樣的人生就不會後悔。「人生最大的懲罰是後悔」，做了後悔的事難免痛苦不堪，所以在生活中要懂得擇善而恆持，還要知道人生學無止境，如何選擇應該學習的，這也是一種生活智慧。

另外，還要學習如何合群，人無法單獨一人過活，總是要依靠群體的力量生存。生活中有哪件事不需依靠別人呢？在馬路上開車，這條路是許多人流汗鋪造出來的；回到安穩的家，如果沒有蓋房子的勞工朋友，我們就沒有遮風蔽雨的地方。日常生活的食衣住行，樣樣都要靠社會上士農工商、各行各業的合作才能完成，所以，我們事事都要感恩，感恩社會群眾所提供的一切。

人既然不能離群索居，對於人群的付出，我們也要有所回饋，應積極投入人群，與人合群、和心互愛，一同為社會付出，這樣才是真正有價值、幸福又快樂的人生。

現在的人都很重視文憑。有一回慈濟醫學院畢業典禮，李遠哲博士也來參加，他上臺致詞，開頭的第一句話就說：「人不能光靠這張畢業證書，畢業證書也不代表你的一切。」

是的，畢業證書不代表人生的一切內涵。所以，我常說：「學識不一定跟著你一生。」學醫的人畢業後不一定當醫師；讀商的人畢業後不一定走商業路線，很多人畢業後還有更理想的工作。而且，工作也有退休的時刻，所以學識不一定跟隨我們一生，但是生活及人文的教育卻會一生相隨。

做人、做事有沒有用心？如何增長智慧？不論在家裡或是在社會上，能不能與人和睦相處、合作愉快？人生，要生活得有價值、有目標，才是真正有意義的生活，可見人文教育和每個人都息息相關。

人來到世間總有一分使命，但是，有的人不知如何奉獻人生或者迷失方向，甚至做出傷害自己、擾亂社會的事。我認為人生在世最重要的就是懂得「做人做事、和心合群」；人與人之間能互相勉勵、彼此欣賞讚歎，那麼美善的社會便自然形成了。

環保老菩薩

最近國際間，常常聽到一下大雨就洪澇成災。一九九八年日本也曾發生水災及豪雨，當時水已經淹到一樓，當地的慈濟人也是一樣密切關懷，並注意是否需要給予幫助。

在臺灣，大家一聽說「下大雨」同樣也很關心，稍微下一場大雨就會發生土石流、淹大水，這就是因為一向都太忽視水土保持的工作，環保的推動實在是當務之急。

前不久，有來自全省的環保志工回來尋根，同時參加「環保培訓講習」。很多人以為做環保就是把垃圾整理一下、回收就好了，其實裡面還有很大的學問。為什麼要做環保？環保對地球有多重要？要了解這些就需要上這一堂課，所以重要的是大家要來分享這種精神理念。

曾聽到北部一位老菩薩分享她的經驗，很令人感動。她一直在呼籲大家「地球是我們的」，我們要好好照顧地球，而且慈濟需要很多人才，藉著環保的工作，也可以培育人才。她說慈濟對社會的幫助很大，以她自己為例，她只是一位環保志工，但是因為很用心做，所以也感動了她的鄰居，不論是大老闆或家庭主婦都被她所感動，現在已經帶動七個人，而且都已經加入委員培訓行列。

她很謙虛地說：「我年紀這麼大了，還能做多少呢？」其實，只要能用心、誠懇地做，不斷地付出，就能帶動更多人來投入。她曾經出過一次車禍，斷了六根肋骨。一般人可能會想：「我在做好事，怎麼還會發生這種事？車上的人只有我這麼倒楣。」但是她不會這麼想，而且還說：「還好，還好！只是肋骨受傷，已經沒事了，真是萬幸。」

她只是擔心以後還能不能做環保？鄰居就鼓勵她：「妳不要做粗重的工作，只要坐著招呼大家就好。」她想：「對啊！這樣我還是有功能的。」知道自己還可以發揮功能就比較放心，身體也很快就恢復了，現在常都看到她在招呼大家：「來，吃點心！」「來，請幫忙搬這個……」「好了，大家應該休息一下了。」真是一位很慈祥的老菩薩。

還有很多位老菩薩上來心得報告，內容都很風趣可愛。東部有一位就說：「其實，我連六年國小教育都沒畢業，人家問我會做什麼？我就說會做環保回收；現在我還開玩笑地向人家說我是『臺大』的，因為我們是在臺灣長大的，所以要愛惜這片土地。」對啊！社會就像個「大」大學，人人應該都可以活到老、學到老，而且心境永遠年輕。

也有人說：「『慈大』的更稀奇。」現在我們都是慈濟大道上的同學。慈濟之旅畢業後就要行菩薩道，不只要愛護環境，更要與人廣結善緣，進而邁向莊嚴殊勝的聖道，這是一種超越凡夫進入聖地、預約菩薩的果位，所以，大家都要更用心學習啊！

圓形的運動場

慈濟功德會三十三週年慶時，全球慈濟人紛紛從四面八方回來，慈濟的大愛沒有國界、種族、膚色的分別，慈濟世界是大家用愛創造出來的。

週年慶之後，我到全省行腳一週，十多天來所看、所聽聞的無不是愛。譬如第一站到宜蘭，那裡有一群很有鄉土味、很可愛的慈濟人。聽委員說，他們在去年十二月，整理給中美洲的舊衣服時，都是一大早就來，而且做到很晚才回家。

其中有八十多歲的老人家，還有七、八歲和十幾歲的小菩薩。他們整理這些衣服時，雖然工作時間很長、很辛苦，但是，人人臉上都洋溢著幸福美滿的笑容。

他們不只在整理衣服時能夠歡喜付出，聽說平常也是環保志工，對環保資源回收工作非常投入。我就問委員：「八十幾歲了，也是環保志工嗎？」委員回答我：「還有九十幾歲的呢！」

記得上次去的時候，有位九十多歲的老菩薩還來見我呢！這次雖然沒有來，卻仍透過委員來致意，表示因為感冒了無法前來。我交代說：「老菩薩感冒了，你們要多多關懷他。」委員們都回答：「有啊，我們常去看他、陪他。」

聽了覺得很溫馨，像他年紀已經這麼大了，卻仍然是慈濟的志工，平常還在做環保。生病時，慈濟人也很親切地，像對待自己長輩一般地關懷他，這種愛與互相關懷的世界，多美啊！

那天中午，我到外面看看周圍的環境，有幾位老菩薩就趕快圍過來，說：「終於見到師父了。」我問：「你們沒見過我嗎？」「有啊，天天在大愛電視節目看到您，但不曾這麼近跟師父本人說話。」

說完大家就伸出手來跟我握握手，說：「現在不只是跟您說話，還跟您手牽手。」老菩薩都很滿足、很高興，看到那麼燦爛的笑容，真的很欣慰。

又有一位老先生好可愛，他也說：「哦！終於見到師父了。」

「你還不曾見過師父嗎？」

他說：「有啊！我參加慈濟二十多年了。」

我說：「這麼久啊！好感恩你。」

委員讚歎說：「阿公很有心，他賺的錢都捐出來。」

我就問他：「阿公，你在做什麼工作啊？」

「顧廟啊！一個月賺一萬五千元，吃自己（伙食自理）啦！」

「一萬五千元又吃自己，這樣夠用嗎？」

他很知足地說：「太多了，我還能做很多事。」

他又說：「一折，一折（潮州音）。」「什麼叫一折？是不是一千元？」他說：「是的，我每個月都捐『一折』給師父蓋醫院。」我說：「好感恩您，您對慈濟這麼護持。」他謙虛地說：「沒有啊，我要感恩師父讓我有機會做，可以參與蓋醫院。以前也有啊！」

因為他已經參與二十多年了，所以慈院第一期工程他也曾贊助過，現在仍然全力護持。看他年紀雖然大了，可是他的精神、體力都非常好，而且還在工作，每個月仍有一定的收入。他的生活非常簡樸，看到老人家這一分愛的付出，散發著一股淳厚的鄉土味，真的很令人感動。

同時也有很多小菩薩來看我，有的是手裡抱著的；有的是媽媽牽著；有的跟大人排排隊，排得非常整齊。曾經有一個很小的小菩薩，看到我從外面走進來，便五體投地一直禮拜；我看他很幼小，就彎下腰問他：「你幾歲了？」他抬起頭來說：「我參粹（三歲），參粹。」稚嫩的童音，看來實在很可愛、很純真。

還有被媽媽懷抱著的，看到我也不斷地合掌拜拜，我走過去了，回頭看他還是雙手一直在拜。不由自己地會聯想——這些都是「再來」的菩薩吧？這些小小菩薩好像都有一股與生俱來的信念和敬愛。

有時我也會去抱抱這些小菩薩，他們來到我面前，很自然地就投入我懷中，好像很親、很親。我從沒有見過他，一見面就那麼的親，我不禁要問：「你到底是幾號的（老委員生前的委員證號碼）？」

看看這些小菩薩，就會想到未來再十幾、二十年，又是一群群年輕的菩薩，他們會投入社會為社會付出。這些小菩薩都會為我存零用錢，有的一生下來就可以當榮董。我常說：「真謝謝你的到來，來得很及時，讓慈濟世界建造得更美好。」

看看這些老少菩薩，不正如一座圓形的運動場，在菩薩道上，一群接著一群從不間斷，慈濟浩蕩長的隊伍，也因小菩薩接著老菩薩的棒而生生不息。

有願就有力

常常有人問我：「到底是一股什麼樣的力量，作為您強大的後盾？」我的回答是：「愛！是無數人清淨的大愛，這股力量源源不絕地從後面在推動。」世間還有什麼比愛的力量更大呢？慈濟人就是秉持著一分大愛，把每個人的愛心落實在社會上。例如：行政院勞委會職業訓練局主辦「殘障技能比賽」，他們需要義工，就請一百多位慈濟人前去幫忙。

大家充分發揮大愛、以誠懇的心照顧這些與會比賽的殘障人士，給予協助，所以他們很感動。其中有一位范先生，他榮獲第二名，得到一面銀牌及獎金六萬元，他上臺致詞時，說：「很感謝國家舉辦這項活動，讓我有機會得獎，我自己有能力生活，所以我要將這筆獎金捐給慈濟，幫助那些沒有生活能力的人。」

當他來到精舍將這筆錢交給我時，我問他：「為什麼會想到捐給慈濟？」他說：「慈濟為社會做了很多事情，我抱著感恩心，希望能奉獻自己小小的力量。」他又告訴我去參加比賽的理由，他說：「我聽到您說的一句話『人生沒有所有權，只有使用權』；雖然我的肢體殘障了，不過雙手還是健全的，所以就決定要參賽。」

「如果能得獎，一定要把獎金捐給慈濟。」他默默地發了這個願。後來工作中，不小心打破一件東西，當時心想：唉！歹彩頭，可能不會得獎了。心情曾一度跌落谷底，但是腦海裡卻不斷浮現「慈濟」二個字，一想到慈濟他就下定決心堅持下去，反正發揮使用權就對了，於是他就報名參加了。

他的專長是鐘錶修理，有人告訴我：「他不只會修理手錶，還會木雕。」手錶的零件非常細小，需要戴上放大鏡，很細心才能夠修理；而木雕則需很費力去鑿、去刻鏤，才能雕刻出完美的作品。兩種不同性質的工作，他都掌握得很好，可見他的用心。

雖然他的肢體殘障，但是他心中有愛，心理也很健康，而支持他的力量，則是一句「人生沒有所有權，只有使用權」。他很感恩師父這句話給他的力量，所以能積極奮發，展現大愛！他在臺上表達了這分心意之後，有一位得到第三名——擅長機器編織的莊小姐也受到感動，同時發心將獎金四萬元捐給慈濟。她住在南投，所以我也請南投的委員到她家裡表達感恩之意。

這就是愛的力量，這種愛心不分外在形象、也不分男女老少，四肢健全和肢體殘缺者的愛，都是同樣那麼美，就像每個人本具的佛性般不增不減！

知足的夫婦

人世間每天上演著不同的人生戲劇，人人都可以看到、聽到各種角色的感受，有的是歡喜快樂，有的是痛苦不堪。不論是風光還是平凡，最要緊的是心靈方向要正確。

有一天，一對穿著很簡樸的夫妻由委員陪同來精舍，他們有個心願——想捐一輛救護車，本來以為幾十萬就可以買一部，後來才知道最普通的救護車至少也要八十萬，有緊急救護設備的救護車一輛要新臺幣三百多萬。

這位先生帶來八十萬元，請求我一定要收下。原本他想請委員幫忙轉交，但是委員知道他們的生活不是很富裕，不敢收。於是他又找了另一位委員，懇求無論如何要帶他送這些錢過來。

他以前是公車司機，為了要撫養四個孩子，維持家庭的生計，所以他開得比別人更賣力，績效表現比別人高。可能是因為他的績效高，所以有人嫉妒他、對他不滿；有一天忽然有四、五個人闖上公車，不分青紅皂白就喊打，還拿刀傷害他。

他傷得很重，治療好一段時間，出院後又回單位上班開公車，他覺得遇上這種事也許是他的業障，所以也沒有追究，只想認真賺錢養家。這段期間，可能是心理上的壓力大，再加上經濟的壓力，導致他精神分裂，又住院治療了一年多的時間，現在已經康復了。

這兩年多來，他以開計程車為業，很辛苦地養家；太太很賢慧，不論先生發生什麼事她都能善解，任勞任怨、毫無怨尤地陪著先生走過坎坷的人生路。他們的生活很節儉，而他總覺得應該要更努力，除了養家之外，還要為社會做些事，因此慢慢存了一些積蓄。

由於他自己的經歷，讓他深刻地體會到：當有人受傷或發生意外時，急救是非常重要的，所以他的心願是捐救護車。當我了解他的家庭和工作情況之後，就對他說：「你的心願我明白，但你也要讓我心安，不要急，可以慢慢來。你先捐二十萬好了，剩下的錢你拿回去存在銀行。」

他一直跟我說銀行還有存款，太太也說：「師父！您安心，我們還有存款，只要再努力就好了。」我對他說：「你的身體不是很好，又有四個孩子在讀書，你先把錢放著我才安心。如果有心要捐救護車，可以分期來捐，慢慢累積就會達成你的心願。」

好不容易才勸妥，讓他把六十萬帶回去。這對夫妻雖然生活並不富裕，但是他們的心靈很健康、很容易滿足，他們認為只要努力打拚、身體健康就夠了。

人生就像一個大舞臺，有的人過著風光、幸福的生活，有的人扮演辛苦的角色，但同樣都有下臺的時候。如果能夠身心健康，抱著甘願做、歡喜受的心態，就是有福的人。

有福，就應該知福又知足。在人事與生活的壓力下，只要把心門打開，不管什麼壓力都可以逐漸化解，這對夫妻心靈健康地走過挫折，實在令人感動。人生有很多不同的路，我們要好好用心選擇，淡泊知足、身心輕安的生活方式，才是真正幸福的人生。

快樂之源

臺灣知名的口足畫家——謝坤山先生真是一位樂觀上進的人，我第一次見到他時就被他的精神所感動。他的雙手和一隻腳都斷了，剩下的一隻腳也有殘障，但是，他卻比別人更樂天知命。

一九九七年他還到國外領取國際殘障人士傑出畫家的獎項，可見人生不能只靠四肢發達，最重要的是精神理念。謝先生每個月到花蓮兩次，來幫助那些意外受傷、脊椎損傷，以及和他一樣手或腳截肢的病人，鼓勵他們提起信心、勇氣，還教他們用口銜筆作畫。

如果曾參觀過慈濟醫院的心蓮病房，一定會看到一幅畫——乍看之下是蓮花圖；用心看，就可以隱約看到佛陀的像。這是幾十年來，我從未看過的創作，是很了不起的一幅畫，他的四肢殘缺，而且視力也很弱，能有這麼優異的成就，完全是靠毅力及精神所展現的成果。

有一次我問他：「你的日常起居，是不是需要太太服侍？」他太太在旁邊，就說：「他不要我幫忙，反而還幫我呢！」「你怎麼幫太太？每天起床後的日常動作都是怎麼做的呢？」他說：「起床以後，首先要刷牙、洗臉。我雖然沒有手，牙膏、牙刷又不會自己動，不過，我可以把牙刷固定好，搖動我的頭。」他的牙齒很潔白、很健康，真的很不可思議，平常人用手刷牙，可能也沒有他刷得這麼好。

他女兒喝的牛奶也是他泡的。我問他女兒：「真的嗎？」小女孩說：「真的，都是爸爸泡的。」後來，我對影視組的同仁們說：「你們是不是去拍攝謝先生的起居生活？」他們真的去拍了，影片中看到謝先生可以自己摺棉被，幫女兒泡牛奶，還會拖地板，真的如他太太所說的一樣，實在很不簡單。

到底什麼樣的人生才是幸福的？是不是失去了手腳就很不幸呢？有一則佛教故事——有一對雙胞胎姊妹，她們永遠不分開，一個是財神，一個是災神。財神來了之後，災神也會跟著來，因此佛陀曾說：不要祈求什麼神來加被，最重要的是自我祝福。福，不是求得來的；求福，禍往往也會跟著來。

謝先生的樂觀進取就是一種自我祝福；不間斷的努力則是自我造福，他不因遭遇變故而消沉，反而非常珍惜現有的一切，因此他能創造一個美滿和諧的家庭，並且付出愛心給更需要的人，他的人生是幸福的。

所以，如果有人說：「你很有福。」我們要回答：「感恩，感恩！」接受對方的祝福。若有人對你說：「你很好命。」千萬不要說：「哪有？我苦死了。」把祝福推掉，還自我詛咒，這就不對了。

慈濟醫院曾住了一位七十多歲的阿婆，幾十年的糖尿病，最後轉成尿毒症，腳上的傷口不斷地潰爛，送到醫院時，醫生建議要截肢，否則會一直潰爛下去，連命都將保不住。

這位阿婆一直不願截肢，醫生不斷跟她溝通，她還是很捨不得，整天都是愁容滿面。有一天志工去看她，鄰床的人就對志工說：「請你多開導開導阿婆，讓她開心一點，她開口閉口都說自己歹命！」

志工就去親近她、輔導她。當志工和她交談時，她不斷地哭訴：

「我好歹命！」

志工就問：「您哪裡歹命？」

「我都七十多歲了，還要截肢。」

志工就安慰她：「阿婆，您的腳讓您使用了七十多年，已經夠本了，您要感恩，要謝謝您的腳，要說您很好命。」阿婆想一想，破涕為笑說：「對呀！我的腳讓我用七十多年了，真的應該感恩，謝謝！我是很好命的。」

第三天，另一位阿婆病情也很嚴重，醫生為她治療後，阿婆還是一直哭，志工問她：「您怎麼了？」她說：「我有六個女兒，兩個兒子。兩個兒子都往生了，只剩六個女兒而已，所以我心裡好難過，我好歹命！」之前那位阿婆聽見她說很歹命，就趕緊告訴她：「我們要說好命，要自我祝福。」一轉念，換成她去幫助別人、輔導別人了。

其實，一切的感受只是觀念而已。人生要有自我祝福的觀念，整天喊苦，還不是痛苦地過日子；如果祝福自己，不就能樂觀地過日子嗎？所以，大家要互相祝福，不只是知福、惜福而已，還要再造福。

救人的感覺真好

目前科學雖然很發達，但若是罹患白血病，在醫學上仍只有唯一的醫療方法，那就是靠骨髓移植。歐美國家的民族性比較豪邁、開放，所以，當他們的國家在推動捐髓活動時，就有很多民眾熱心參與。

但是根據資料報告，當配對成功需要捐髓時，仍有一些人臨陣脫逃。不過，他們捐髓的風氣在幾十年前就已經打開了。在臺灣，一般人都很保守，聽說要捐髓，有的人就說：「捐髓啊！龍骨水是最寶貴的，怎麼能捐呢？」

慈濟成立「骨髓資料庫」是由於一個因緣——有一天，美國分會接到一件個案：有位在美國求學的華裔女學生，已經拿到碩士學位，很想再讀博士學位。但是很不幸地，她罹患了白血病，需要儘快進行骨髓移植。

由於骨髓配對和基因、種族有關，即使白人要捐給她，成功的機率也是零，所以她就到慈濟美國義診中心請求協助。當時我們特地為她舉辦「呼籲骨髓捐贈」的茶會，甚至開一場演奏會，用門票收入來幫助她。經過這件事之後，我認為臺灣也應該有這項醫療技術，以提高臺灣的醫療水準，救助血癌的病患。

佛陀在世時曾說：「頭目髓腦悉施人。」早年看到這段經文時，心想：就算有人發大心要布施器官，對方也無法受用吧？想不到出家之後，做了慈善工作，接著建設醫院，隨著科技的進步，才讓我明白了更多的事情。

慈濟醫院開業後的第二年，我們就開始設立「骨骼銀行」，將捨身菩薩捐出來的骨骼，放在冰庫裡保存十五年，布施給有需要的人。後來我又呼籲成立「骨髓資料庫」。很歡喜的是，一經呼籲就有許多人來響應。

記得第一次呼籲時，我問響應的人：「你們知道捐的是什麼東西嗎？」他們說：「不太清楚。」我說：「是骨髓。它是要從骨骼裡面抽出來的呢！」所得的回答是：「我們響應就對了！相信師父絕對不會為了一個病人而損害健康的人。」

所以，第一次呼籲，三天內就有八百多人響應，然後一直推動到現在。目前，慈濟醫院的「骨髓資料庫」截至一九九九年十月底已有十七萬人共襄盛舉，在亞洲排名第一。而且只要配對成功，很少有人退縮；但仍耳聞其他國家，配對到而不敢捐的人比例很多。

記得一九九七年十一月十一日那一天，有位年輕人來慈濟醫院捐完髓後，由委員陪同來精舍。我問：「是捐給哪裡的人？」委員說：「是給廣州的一個個案。」我讚歎捐髓者說：「你真是菩薩啊！你人在臺灣，竟能救到廣州的人，真是功德無量，感恩你哦！」這位年輕人卻說：「師父，是我要感恩您才對。」

我說：「不對啊！是你捐髓救人，為何要感恩我？」他說：「因為師父創造慈濟世界，才讓我有救人的空間。救人的感覺真好！」「救人的感覺真好」，這句話我聽了很震撼！

受髓者是一個十一歲的廣州少年，這個孩子十分上進，功課也很好，全校的老師和同學都很喜歡他，但是，很不幸地他得了白血病，家裡又很清寒。

院方對孩子的父母說：「若要救你們的孩子，必須做骨髓移植。」他們家的收入一個月才八百元人民幣，除了生活費用之外，孩子又生病，需要龐大的醫藥費。所以，他們的學校還發動募捐，募得一萬多元，但是仍然無法支付醫藥費。孩子的爸爸無計可施，只好向院方表示他願意賣器官、籌錢來治療他的孩子。

當時在大陸曾配對到一位老師，但是這位老師卻不願意捐，他說：「當初抽血是為了救我的弟弟，後來弟弟等不及就走了。我現在憑什麼要捐？」廣州醫院有位教授曾經來過慈濟，就由他和慈濟聯絡，提供協助。這個孩子很有福，沒幾天就配對到了；而這位年輕菩薩聽說有機會可以救人，馬上就來慈濟醫院做抽髓手術，這分無所求的付出精神，實在令人敬佩！

現在的社會，人與人之間常存有「防備」之心，確實是人類的悲哀；如此惡性循環之下，不免造成社會一股不良風氣，實在令人擔心。而佛陀示現人間，最重要的是要教育我們清淨自心，發揮愛心，讓人人能互信互助互愛，生活得快樂幸福；如何才能輕安自在？只要付出而無所求，就能得到輕安自在。

越洋送髓一家親

如果希望世間充滿光明，就要啓發人人的愛心，把大家的這分愛心、和睦的心凝聚起來就能成為「大愛」；人間有大愛就能讓世界亮起來。

慈濟骨髓移植檢驗中心李博士的夫人與我們分享一則親身的經驗。她曾親自送骨髓到大陸，一下飛機，很多媒體人士就圍繞著她，還有醫院的院長也親自接機，當然病患的家屬更是感恩。

那位患者是個檢察官，年紀輕輕不到三十歲就罹患血癌，唯一能救他的就是骨髓移植，配對後相合的全世界只有一位。在臺灣的這位人間菩薩願意捐獻骨髓，他來慈濟醫院接受抽髓手術，衷心地希望受髓者——大陸這位青年能早日康復，這的確是一股大愛無私的清流。

又聽到德國的患者第二次來求救，在臺灣的捐髓者二話不說，還是很樂意地捐了。捐髓者在抽完骨髓的第二天，由花蓮骨髓關懷小組陪同來精舍。我一看就想：來捐髓的人很可能就是他，所以就問他：「你是不是來捐髓的？」他說：「是的。」

「你這麼發心，可知道所捐的髓是給誰嗎？」

他搖搖頭說：「給誰並不重要，只要能救他就好。」

我又問他：「你捐了之後，身體有什麼異樣的感覺嗎？」

他說：「我是捐第二次的，沒有什麼特別的感覺。」

原本我不曉得這種情況，也很少有人捐第二次，所以就問他：「你為何捐第二次呢？」他說：「前年捐過了，同一位病人又再度來請求捐髓。」

慈濟的關懷小組替他解釋道：「前年受髓者接受骨髓後，恢復得很正常。最近因為感冒高燒不退，再度檢查時，發現血液中還缺少兩種成分，所以需要捐髓者再次捐給他。」他們透過德國的醫院通知我們的捐髓中心，經過捐髓中心再次聯絡到這位捐髓的菩薩。

聽了實在很感恩，我對他說：「感恩你，你是人間的活菩薩。你人在臺灣，就能救到德國的華人，真是神通廣大啊！」年輕人回答：「應該是我要說感恩，感恩慈濟設立了骨髓資料庫，我才有機會救人，所以要感恩師父。」慈濟立足臺灣，將大家的愛散播到普天下，由此也看到許多活生生的人間菩薩。

他不知道到底是救誰，卻能一而再地付出，像這種無私的大愛，就是佛法所說的三輪體空——無我相，無人相，無物量的相。從他的回答：「救什麼人並不重要，只要能救他就好。」就能得知他沒有「我是會救人的人」這種心態，更重要的是，也不執著於物的量。

願意打開心門接受捐髓手術，是很不簡單的事，若沒有很健康的心理建設，以及充分的智慧與常識，實在是難以接受的，更別說要去付出。他第一次能奉獻已經很不簡單了，還能因應病人的需要而再次捐髓，這是非常難得的。這就是三輪體空的布施，也是行菩薩道一項很重要的法門。

還有另一個例子，病患是在美國；捐髓者是從臺灣移民到美國的少婦，她很年輕，有一位五歲的孩子。

她的兒子自出生後，心臟瓣膜就有異常，無法正常活動，五年來已經開了七次刀。這位年輕媽媽接到通知——與人配對成功可以捐髓，她很高興，而且希望維持健康的身體，能讓對方受髓成功，所以她就吃補藥，想要補得更健康，結果卻產生過敏，身體整個腫起來。

病患的家屬及醫師都很緊張，擔心她因過敏而改變心意、不捐了。所以在美國捐髓中心的李夫人就去徵求她的意見，是否仍有意願要捐？她說：「沒關係，過敏不算什麼，我只是求好心切，才會吃藥過敏，我還是要捐的。」她為什麼這麼堅持？因為兒子常常生病，身為母親的她很能夠體會別的媽媽心急如焚的苦處；她能體諒病患家屬的痛苦，所以捐骨髓的心願一直都很堅定。

很不可思議的是，從她發願到捐骨髓這段時間內，他的兒子本來住在加護病房，幾天後醫院通知他們：兒子可以出院了，出院之後情況也很好。現在這個孩子已經上幼稚園了，而且是健康活潑可愛的好寶寶。

這位捐髓者的先生說：「如果有第二次的配對成功，我還是要鼓勵她捐。」的確如此，捐髓既能救人又無損己身，何樂而不為呢？

老者的春天

我一直很期待能「落實社區、關懷獨居老人」，所以請各地的慈濟委員收集各社區內獨居老人的資料。大家很快就把每一區、每一里老人的户數資料整理完畢。

上一次聽中區委員的會報，其中有一區因為包括眷村，住著許多老榮民，所以那區就有三百多位獨居老人；另外各區的資料也都訪查得非常齊全。我對委員們說：「你們已經把資料蒐集好，大家開始要落實關懷工作，最好能夠挨家挨户去訪問、探視，看看老人家有沒有需要幫助，或者也鼓勵身體健康的老人，和你們一起出來服務鄉里、彼此關懷。」

委員們很迅速地加以落實了，開始提出與老人互動的心得報告，讓我深感安慰，因為發現了許多需要幫助的老人，有的躺在床上，飲食都成了問題，大小便也無法自理，家裡面非常髒亂，沒有人照顧。發現個案之後，委員和慈誠隊都去幫忙，清理他們的住處和四周環境，為老人洗澡，還幫他們修剪頭髮、指甲等等，無不整理得很妥善。

其中有位老人的鄰居，看到慈濟人這麼無所求地付出，很受感動就說：「我知道每位委員都很忙，有很多事要推動，還能這麼關懷他，身為鄰居的我們，也應該負起一分責任。」

好心的鄰居自告奮勇地對委員說，這位老伯可以由他來照顧，他也是慈濟的會員，所以委員就委託這位會員多關照。隔了幾天，這位會員打電話給委員說：「我送飯去給阿公的時候，阿公都吃不下，原來阿公發燒了。」委員就說：「這樣啊！我們會儘快送他就醫。」這位會員說：「我只是告訴你一聲，我會帶他去看醫生的。」

聽了覺得很溫馨，過去乏人照顧的老人，因為慈濟人落實社區關懷，委員們親自去帶動、做示範，啓發了大家塵封已久的愛心，於是鄰居也能負起照護老人的責任，聽了好貼心、很安心。

另外是一位住在眷村的爺爺，將近八十歲了，家裡同樣非常髒亂，身上又病又臭。委員們發現了就去幫忙，後來他的鄰居——一位七十多歲的老榮民，身體還很健朗，也自告奮勇地站出來幫助他。

他說：「很慚愧，大家同是鄰居，都是榮民，我們竟然很少去照顧他。以後我會天天去陪他聊天、幫助他，我還可以煮飯，他不會挨餓的。」藉此輔導健康的老人去關懷有病的老人，讓老人家心靈都有所依靠，生活上相互扶持，這不就是守望相助的最好寫照嗎？

落實社區關懷是很需要的，而慈濟人扮演著橋梁的角色；當我們用愛去關懷老人，用行動去幫助他們的同時，也能影響左鄰右舍，啓發鄰里間那分「遠親不如近鄰」的感情，進而帶動社區人人互相幫助的和諧氣氛。若能做到──將天下老者都視如自己長輩般地尊敬、關心，則社會上的老人問題就能消弭於無形了。

人道關懷無國界

我常說臺灣真的很有福，因為有很多愛心人士肯付出他們的愛；將愛付給人群，對自己而言就是在造福業，未來可得福果。

一九九八年十月，連續兩個颱風帶來的豪雨，使臺灣北部發生嚴重的水災，所幸水患很快就退了，緊接著有好多愛心人士前去幫忙。例如慈濟動員了一千多人，在一天之內，便協助清潔隊及國軍把汐止鎮上的垃圾清除乾淨。同一段時間，颱風也重創菲律賓；而位在中美洲加勒比海的宏都拉斯、多明尼加等國家，則因颶風襲擊，傳來嚴重的災情。

多明尼加國內富有的人雖不少，可是貧窮的人更多，可以說是貧富懸殊。美國的慈濟人前去勘災、進行發放工作時，當地的一些華裔人士，不管是從大陸或臺灣過去的，聽到這個消息後，都主動表示願意提供協助。

有人表示，以前在臺灣就曾聽過慈濟，卻沒有因緣參與活動；後來又因移民，更無緣相會。也有人說，雖然住在臺灣，卻未曾聽聞慈濟；反而是近幾年在國外的媒體上，常看到慈濟做國際賑災的消息。

他們大都表示長久以來，一直有心想要接觸慈濟；沒想到可以在多明尼加的賑災活動中，和慈濟取得聯繫，因此自告奮勇地投入救災活動，和慈濟配合得很歡喜，也做得很快樂。

慈濟做國際賑災，最主要是在鼓勵全球慈濟人，無論住在哪個國家，都要負起當地的慈善工作，善盡地球村民的責任。例如：美國的慈濟人，不但在僑居地關懷貧病孤老，還跨國幫助其他有災難的人，而且每次賑災一定掛上「臺灣慈濟基金會」的紅布條。

海外慈濟人雖然身在國外，可是愛臺灣的心是永恆的。因此，他們努力提升臺灣的國際形象，希望臺灣能受到國際社會的肯定！

那次我呼籲「為中美洲募衣」，許多人紛紛把衣物捐出來，甚至有很多衣服還是全新的。由於有大家的喜捨，才能讓很多災民在冬天得以保暖，真是功德無量！

後來我聽委員說：「募來的衣服，已經超過原訂的貨櫃數量，而且還有很多人一包包地送來。」我說：「沒關係！只要是大家付出的愛心就把它收下；即使增加貨櫃，也要把大家的愛送出去。」

這些愛不僅多明尼加的災民需要，宏都拉斯的災民也很需要。聽說在災害還沒發生之前，當地就已經有很多窮人；窮到產婦生下嬰兒時，沒有一塊布可以包裹嬰兒，只好用舊報紙代替。生長在臺灣的我們，實在難以體會那種情景。

慈濟的四大志業——慈善、醫療、教育、文化，還有很長的路要走，需要大家繼續同心協力、不斷付出，如此才能讓慈濟的精神遍布於國際間，使每個受災受苦的人都能得救。

醫療是搶救生命的工作。世間沒有一樣東西，比生命更有價值；能搶救生命，就是無量功德。慈濟大林醫院即將於西元二千年落成啓用，未來北部的新店、中部的潭子都有慈濟的醫療建設，這都需要匯集大家點點滴滴的愛心和力量，才能早日發揮救人的功能。

教育與文化的腳步也不能遲緩，為了我們的下一代，希望大家能用心推動愛的教育、建設愛的文化。

自我的焠煉

佛法如生活中的甘露，
涓涓地潤澤心地。
愈平常、容易的事，
愈需要學習。
學習得愈透徹，
人生過得愈自然。

太子堅守自心

在人生的過程中，最重要的就是「一念心」，也就是觀念要正確，能夠如此，道路就不會有所偏差；否則，理想的目標就很難達成。有句話說「差毫釐，失千里」，就是在於一念心——觀念的掌握。

就如釋迦牟尼佛在未出家之前，他身為太子，可以享受天下之樂，備受國王的疼愛、姨母的呵護及全國人民的敬愛。

他所過的是那麼多彩多姿、多富有的人生啊！但對有智慧的人而言，這種生活並不是他所要求的；他看到人生的老、病、死種種無常的變化，他會去思考及追求真理，這就是覺者與普通人不同的地方。

一般人容易受環境左右，而沈迷在紙醉金迷的享樂中，只顧著自身的娛樂，不會想到別人所感受的苦樂；只有自己、沒有別人，這就是凡夫。但是悉達多太子則不然。他在愈享受的環境中，愈會考慮到天下眾生的種種問題。除了老、病、死的痛苦之外，當時印度還有人為的四姓階級之別，他也覺得很不平等。另外，還有貧窮、苦難的人生悲劇，以及水災、風災、旱災等天然災害；像這些社會人為及大自然的環境變化，沒有一樣不縈繞在他的腦海中……。

如何才能解決人生的問題呢？有一天，太子終於向父王提出要出家修行的請求；這對他父王而言，真是一件晴天霹靂的打擊。自從太子出世，阿私陀仙就已經預言：將來太子如果在家，長大後就能接掌王位，甚至能成為轉輪聖王，統領天下。假若太子棄俗出家，將來就會修成正等正覺，成為人天導師。

國王聽了這些話憂喜參半，喜的是：他所期待的是——太子能承續王位、統領天下。憂的是：雖然修得無上正等正覺，成為人天導師也是好事，但他還是很擔心兒子會出家。

這個心結一直存在他的心裡，直到太子十九歲時提出想出家的意願，國王還是很震驚。他告訴太子：「國家、社會將來都要靠你去領導，你怎麼能一走了之？而且國王的地位如此崇高，將來領政之後，你大可自由地發揮濟世救人的心願。」

太子卻說：「人生，只要是有物質、有形的東西就很難改造；何況生老病死種種苦難的循環，並不是改造環境就能解決的。」國王又說：「你捨得下父母？捨得下耶輸陀羅和羅睺羅嗎？」太子回答：「世間的情愛，要割捨當然很難，但是父王，您要是能幫我解決心中的問題，我就可以不出家。」

父王就問：「你有什麼不能解決的問題？」太子回答：「父王如果能讓我『不老、不病、不死，沒有愛別離苦』，我就放棄修行的念頭。」國王無奈地說：「這是不可能的事。人自然會老化，因為年齡會隨著歲月而增加，哪有不老的人？尤其人的身體，不一定是老了才會生病，不管金枝玉葉或是貧窮的人，同樣都會生病，我自己也不例外。再說，有朝一日我也一樣會死……。」

太子就說：「對！不只是父王會如此，人人也都會經歷這些痛苦，就像我現在想要出家，父王您這麼不捨，生離是苦，還有更苦的死別，人生諸多苦難要如何解決呢？」

國王聽了，知道自己根本無法幫他解決這些事情。太子又請求道：「父王，您這麼疼愛我，也無法幫我解決這些事，而種種苦難的輪迴卻是苦不堪言，所以，我一定要從心靈深處去探求真理，解脫一切苦難。」

太子的心意任誰也無法移轉，終於克服重重難關、出家了！這也是一念心。悉達多太子當時若不是心念堅固，勇於克服一切障礙，哪有現今的人天導師、四生慈父——釋迦牟尼佛呢？

太子歷經種種嚴苛的考驗、修證之後，把自己所體悟的真理，以淺顯易懂的教育化導於人間，比如：教人「守五戒」——不殺生、不偷盜、不邪淫、不妄語、不飲酒，可保住人身；行「十善」（註一）則可生天道；若以「八正道」（註二）去除無明、習氣則可漸入聖道；行「六度」（註三）則能超越生死，轉凡入聖。

人生需要有正念、正見的引導，佛陀的睿智可以引人向善，使人得到真正的幸福圓滿，日常生活中，心念的方向要時時掌握好，才能向我們所追求的目標勇往精進。

註一：「十善」即十種善業——不殺生、不偷盜、不邪淫、不妄語、不兩舌、不惡口、不綺語、不貪、不瞋、不癡。

註二：「八正道」即八種聖者的道法——正見、正思惟、正語、正業、正命、正精進、正念、正定。

註三：「六度」即六種修行法門——布施、持戒、忍辱、精進、禪定、般若。可使修行者從生死苦惱的此岸，到達涅槃安樂的彼岸。

發揮大愛之心

我們常常聽到「子欲養而親不待」這句話，這是很遺憾的人生；人若沒有盡孝心、立孝行，確實很可惜、很遺憾。在佛經中，可以看到目連尊者到地獄救母，釋迦牟尼佛則上天堂為母親說法，即使已到達聖賢的境界，也要完成孝親報恩這件大事，人生才不會有所遺憾。

佛陀即將入滅時，他覺得還有一件大事未圓滿，所以運用神通力到忉利天為母說法。神通是什麼？一般人可能以為神通是「飛天鑽地」的神力，其實，神通是眾生本具的天然慧性，意思是與清淨的「天心慧性」會合時，自然有神通，但是神通仍抵不過業力，所以，即使有神通也不可妄顯神通、妄造惡業。

《瓔珞經》云：「天然之慧，透徹無礙。」能夠循著天然本性，即能照徹無礙，不管是天堂或地獄都不會有障礙。學佛，是希望能證到這分天然之慧，但是對於一般人而言談何容易，不過，只要專心、用心，仍可漸漸修得天然慧性。

據佛經記載，神通有六種，第一是「神足通」，可以來去自如，外在的山河大地對他都不成障礙；第二是「天眼通」，所見的比肉眼更能夠透徹無礙；再來是「天耳通」，所聽的聲音不會混雜，能透徹了解一切萬物的聲音。

還有「宿命通」，一般人所了解的非常有限，得宿命通的人可以了知過去、現在、未來；第五是「他心通」，常人必須說出內心的話，彼此才能知道對方的心事。可是多數人都是「逢人只說三分話」，而他心通是對自己和對方的起心動念都能了知無礙。這五通即使是外道教徒也能修得，甚至鬼神也有這五通，並不稀奇。

學佛的人要進取「無漏通」，無漏就是無煩惱，常人憑著肉眼去看，看不透真相，常會被外境所迷惑，所以心裡會起煩惱，這是因為眼根不淨。其次是耳根不淨，因此常被聲音所惑，聽了是非、諂言即不明真相、退失道心。六根引發六識，生起無明，因而迷惑顛倒。心若清淨，要了知過去、未來並不困難，問題是常人已被外在的聲色所影響，所以連眼前的事物也常常看走眼，更別說是過去和未來了。

心中若有煩惱存在，即使得到神通也是顛倒，修行最重要的是要修到無煩惱，把內心的貪、瞋、癡、慢、疑去除，則天真的本性現前，即得「無漏通」，這才是我們真正要修學的功課。

佛陀的修證已自在無礙，不論上天堂、下地獄、遊化人間，無不是運用天然無礙的慧性。我們學佛要從根本學起，在生活中學習慈悲智慧，慈悲是大愛；能夠愛普天下的眾生，即有一個完整的大孝之心，大孝之心也是天然的本性。

最近我們常常聽到大專志工的心聲，他們在醫院看到那麼多人生無常、生老病死的苦難，讓他們深深地體會到行善、行孝要及時——為別人付出時，應該要先懂得為父母付出，千萬不要等到父母病了、老了甚至死了，才想到要孝順父母。他們若能深刻地體會到這層道理，即可及時行孝。

佛心原本就是大孝之心，普天下的眾生都曾互為父母，《父母恩重難報經》裡，佛陀看到一堆白骨，即了知這些都是前生曾互為父母的白骨，所以佛陀本著大孝之心，不畏辛苦、不斷地來回人間教化眾生，可見孝道是人的根本，若離開根本，其他已無善法可修，大孝之心即是大愛之心，所以我們也要時時發揮大愛無礙之心。

白頭難返青絲

人的一生中，年少力壯只有一回；若想有再一次的年輕，就得等來生來世。所以，我們一定要好好把握人生；不管是少年、中年或老年，都要好好珍惜、發揮良能，因為我們無法再找回可貴的年少時光。生老病死是人生正常的過程，不只是眾生有生老病死，即使是佛陀和他的弟子也都會經歷這些過程。

佛陀年老時，也有許多事情讓他操心；包括生離死別等等。那時舍利弗已經年老了，在摩伽陀國養病，由於病得不輕，後來回天乏術、往生了。當時，有一位年輕的孫陀比丘就把舍利弗的遺物——衣、缽等，很恭敬地送到祇陀精舍。

孫陀比丘看到阿難時，非常悲痛地說：「尊者，舍利弗大師已經走了，他再也不會回來了。」阿難聽了，很難過地說：「這是一件大事啊！我們應該把這些遺物送到佛陀的面前。」於是阿難就帶著孫陀比丘，很鄭重地捧著舍利弗的遺物來到佛陀的面前，然後向佛陀說明原由。

阿難說：「當我知道這件消息，心裡好難過啊！」說完又禁不住地流淚。阿難是一位感性多情的人，而且舍利弗肩負著佛法教化的使命，與阿難的交誼很深厚，因此阿難心裡很難過。

佛陀對阿難說：「人的生、老、病、死是很自然的事，你為何這麼悲痛呢？」阿難說：「佛陀啊！如來的家業負擔這麼重——要拯救普天下的眾生！如果舍利弗常住在世間，就可以代您教化眾生，施教淨化人間於一方。但是現在他走了，您的教化重任就少一個人來承擔，我當然會很心痛啊！」

佛陀說：「阿難，一棵大樹要枯萎時，不一定是從根開始，有時它會從枝葉開始枯黃、掉落。雖然我現在仍住世，也很需要弟子來輔助與弘揚佛法的教育；但是人命的長短，卻必須看個人與世間的因緣而定。現在舍利弗走了，就好像那棵大樹有一根樹枝先枯萎了。人生的過程、天下萬物的道理都是如此，要靠誰呢？必須靠自己！你們要『以己為舟，以法為舟』。世間如大海，從此岸到彼岸很辛苦，每個人要盡己之力，同舟共濟，再繼續往前邁進。總之，事事都要盡一分心力啊！」

佛陀又說：「每一個人的本性就是佛性，所以要皈依於自性佛、自性法、自性僧；人人都應自覺，不可存心依賴別人。」這是佛陀所要傳達的理念；所以，人人都要好好把握當下的人生。

大地有春回之時，而人生卻沒有第二次的年少，因此，凡事要懂得珍惜。佛陀和他的弟子也都一樣，有青年、中年、老年，乃至入滅。但是他們懂得珍惜，少年時為法追求、中年時為弘法而努力，老年時也分秒精進。所以，我們也要好好把握時間、付出良能，發揮生命的真正價值。

苦樂由心

人生什麼是苦？什麼是樂？根本沒有一個標準可以衡量，苦樂的感覺因人而異，它只是個人的感受而已。有人說：「人生真快樂，怎會有苦呢？」然而，卻有人認為人生很苦。人的苦樂，其實都是由心所造。

佛陀在世時，他的僧團時時都有一千多人。當然，人多根機也就不齊，有人智慧很高，對於佛陀所說的教法一聞即悟；對苦境能淡然以對，對樂境也不會動心，因而可以一心向道。但是，僧團裡也有根機比較愚鈍的人，對於這些人，佛陀雖然苦口婆心教導，他們也一聽再聽，煩惱卻還是不斷地產生。

有一天，佛陀經過一群比丘身邊時，聽到他們每個人都在談論苦，因為感受到種種的苦惱，才發心出家修道。有一位說：「在俗世時，我一看到女色就會衝動、難以自主。所以，我覺得淫欲難捨最為痛苦；我出家是想清淨自心，但是身雖然受戒，心卻很難控制。」

另一位比丘說：「我在俗世時，雖然辛苦付出，仍沒有辦法三餐溫飽。發生乾旱時，我就會煩惱農作物可能無法收成。若是長期下雨，又擔心有水災，洪水會淹沒田地，所以，我認為最苦的是飢餓；進入僧團，我就不用再煩惱會餓肚子了。」

又有一位比丘說：「我有一個習氣總是改不過來，就是愛發脾氣。只要別人的態度、聲音讓我看不順眼，我就發火罵人，甚至動手打人。佛陀的教育很好，我決心出家是希望在僧團裡接受佛陀的教育，改掉不好的脾氣。可是習氣難改，雖然我已盡量控制，不做出不好的行為，但是，看到不順眼的事情時，還是想罵人，也忍得很痛苦。」

還有一位說：「我最煩惱的是人生的生老病死。因為老了很難看，病時很痛苦，更煩惱不知什麼時候會忽然死去。佛陀說：『世間無常，國土危脆。』我很擔心不知何時會天翻地覆，我每天都過著很惶恐的日子。佛陀的威德重如泰山，在僧團裡，我的心可以很自在；因此，我才捨俗出家。但是，我仍然很煩惱，不知何時會老去或病死。」

佛陀聽到這裡，就走過來說：「你們大家知道苦，這是很好的事。但是，只知道苦的感受，卻不知苦的根源在哪裡？真正要斷苦，要先去探求苦的根源。」

這群比丘們聽了，便請佛陀開示苦的根源。佛陀說：「人生大患在於有身、有心，因為它會對外境起心動念。比如看到女色時，內心就起淫欲而造業；人會肚子餓，也是因為身體有所需要，才會感覺肚子餓；發脾氣也是一樣，因為太驕縱自己，沒辦法容納別人，才會亂發脾氣，所以苦的根源都是出自身心，樂的感受也是一樣。

佛陀接著又說：「為什麼會惶恐呢？這也是因為太愛自己的身體，生老病死是自然的境界，就如大自然有春夏秋冬一樣。只有愚癡的人才會迷戀這個身體，也因此，心才會惶恐不安！我們要知道苦的根源，就是出自身心。若能將身體當作載道器，把握時間好好修行，就能轉苦為樂，去苦緣為樂果。」

人生的苦，出於身心的感受，而這一切其實都是遷流不定的。若能清心寡欲，就感受不到因色而心亂的苦；安於平淡的生活，不在意好壞，不因別人的聲色而生氣，就不會覺得有什麼苦。所以，我常常提醒大家，起心動念、開口動舌，要時時多用心！

花開花謝

「無常」的道理大家雖然常常聽，但是卻很難體會這兩個字更深層的道理；就算能體會，也很容易忘記。學佛，最重要的就是——要先體悟「無常」。

佛陀在祇陀精舍時，有一天，弟子羅陀比丘問：「佛陀，常常聽到您對很多弟子說法時，都離不開『無常』；我雖然每天聽，卻還是不了解，到底無常的道理與修行覺道有何關係？」

佛陀說：「無常的道理是我說法的基礎，如果不懂它的道理，就無法進入真理的初階段，所以你要用心聽。」佛陀接著說：「色、受、想、行、識五蘊都是無常，你聽得懂嗎？」

羅陀比丘摸摸頭說：「佛陀，您說『色』是看得見的東西都包含在內。可是，我每天看很多東西都一樣啊！為什麼說它是無常呢？」

佛陀回答：「花朵還沒綻放之前的含苞模樣，你看過嗎？花開之後的樣子，你又看過嗎？」

「有啊！可是，含苞待放時是花；花開花謝，不也都是花嗎？」

「對！名稱都叫『花』，但是過程中的名相卻不同。」

「佛陀，我還是不了解其中的道理。」羅陀比丘據實以告。

「那是因為你沒有用心去想。」佛陀進一步說明：「要多去感受。看到花開，就要去思考：這朵花為什麼會開？看到含苞待放的花朵，也要想：為什麼這朵花會含苞？甚至要追究這朵花在含苞、發芽之前的形態。」

羅陀比丘摸摸頭說：「是不是一粒種子？」

佛陀說：「對！一朵花最初的形態，就是一粒種子。種子入土後，因緣成熟，就會發芽進而生枝，然後含苞、綻放。花開之後，不久必然凋謝，種子就會結成、落下來，這也就是『無常』的循環。」

羅陀比丘說：「佛陀，這太深了！我要怎麼去感受？」

佛陀說：「要用心去思考、體會。世間一切無不是在行蘊中，就像花的種子，從入土、發芽、開花到花謝的過程中，受到陽光、土壤、空氣等因緣和合，方得結果。正如人生一切事物皆非恆常之相，總是不斷地變換輪轉，而人的所有造作、感受、煩惱都落入八識田中，最後帶著業的種子輪迴而去。」

佛陀勉勵羅陀比丘：「知道一顆種子入土會有不斷的循環，這是初步，繼續用心，就能從事物中體會人生的道理。」

如果人人能體會無常，無論對事、對物都能抱持無常觀，人生就沒有什麼好計較的。若能進一步將心放寬，善用身體的使用權發揮良能，必能有所感受、體悟。

人生就是在「過秒關」，分分秒秒能順利度過，累積之後就成了時間，人生的福與業也是由時間所累積。真正能做到「與人無爭，與事無爭，與世無爭」的人，就表示已經體悟了無常的人生，能透徹無常，即得身心解脫自在。

狀元夢

人的生命有幼年、青少年、中年、老年四個階段。一年四季，可以冬去春再來；但是，人生只有短短數十年，能有幾次春夏秋冬的歲月？

以佛陀的眼光來看，眾生的生命實在是太短暫了！哪怕能活一百年，這一百年之間，我們又能發揮多少生命功能呢？是否能真正透徹生命的意義呢？好像很難。

佛典中，有一句偈文：「南柯一夢屬黃粱，一夢黃粱飯未嘗。」是指這一則故事——有位秀才要進京考試，因路途很遙遠，需經幾個月的長途跋涉，非常辛苦！有一天他來到一個小城鎮，由於離京城已不遠了，就想休息一下。

於是他找到一家小店，告訴店家：「我肚子餓了，你能為我準備食物嗎？」店家問：「你想吃什麼？」他說：「能不能為我準備一碗黃粱？」店家很歡喜地趕緊去準備。

這時，秀才坐下來想著：過不久，就要進京參加考試。我是不是能考得理想、中狀元或探花呢？由於長途跋涉，身心疲憊已極，他不知不覺便趴在桌上睡著了。

他做了一場夢——夢見自己到達京城、進了考場，甚至中了狀元！之後，他去禮謝考官；考官認為他是一位好青年，就將女兒許配給他。然後，他結婚、生子……漸漸地，兒子長大了，他也老了。在他八十歲生日時，兒子、媳婦和孫子都來拜壽。正在享受天倫之樂時，突然聽到有人在叫喚，他就驚醒了！原來是店家端來一碗黃粱，喚他說：「客官，這碗黃粱剛煮熟，趕快趁熱吃了吧！」當他從美夢中醒來，看著這碗熱騰騰的黃粱，才想到自己還沒吃飯呢！

這時，他突然領悟到：我做了這場夢，從考試一直到子孫滿堂，前後只是煮一碗黃粱的時間罷了；浮生如夢，生命如此短暫，而我想追求的只是這些嗎？如果我的一生就像這場夢，難道人生的意義只是這樣嗎？大自然的氣候還能四季不斷地更迭，而人生的週期卻很短暫，有什麼好計較的呢？當時，他徹悟了人生。

這位秀才所做的夢雖然短暫，卻過得很順利。但是，真實的人生都能這麼順利嗎？人生的路不但要歷經坎坷，風霜雪凍、人我是非，其間還有無量無數的煩惱。正因為很辛苦，所以有人說：「人生苦多樂少，很難熬啊！」

我們要了解生命的真義，人生之旅不論是長或短都不重要；最重要的是：在人生道上，我們能真正徹悟生命的價值嗎？是否已發揮做人的良能？這才是最重要的。若渾渾噩噩地過一生，這樣的人生最不值得，哪怕是活了一百歲或更長壽，如果就像做夢一樣過得虛幻、空渺，人生就毫無意義可言。

宇宙的氣候，有四季輪替。但是人的生命，從幼年、青少年、中年到老年，卻無法再回到青少年時期，除非是下一世能再來人間。所以，我們要好好把握這一期的生命，透徹人生的真理、發揮生命的良能。肉體的生命有來有去，唯有「慧命」才能永遠長存。

生命要好好利用，慧命要好好透徹理解，探討什麼是永生不滅、智慧的生命是很重要的。人生只有短短幾十年而已，猶如一場夢境，所以要趕快覺醒，不要一直做白日夢，才能擁有慧命的春天。

尋找證人

我們平時面對外境時，常會加以分別，卻從沒有好好地觀察自己的內心。

佛陀在世時，常教弟子們做「不淨觀」。在印度，要修不淨觀很容易，因為印度人過世以後都用「天葬」，也就是把死人抬到荒郊野外，任它風吹雨淋、腐爛，然後讓鳥類啄食。

有一位修行人，經常在別人的田埂上走來走去。田主覺得很奇怪，心想：他為何不好好地修行，卻天天往這裡跑？有一天，田主看到修行人又在田埂走來走去，就把他攔下來問道：「你為什麼天天跑來這裡呢？」

修行人說：「因為我每天都要找一些證人來為我證明。」田主不明白，又問他：「找什麼證人呢？」修行人說：「你跟著我去看看那些忠實的證人吧！」

田主就跟著他走，兩人來到了一個荒郊野地。那兒處處可看到一堆堆的白骨和一個個發臭腐爛的屍體，有許多鳥兒正在屍體上啄食。修行人莊嚴地站在那裡注視著成群的小鳥飛來飛去，在屍體上追逐啄食。

田主看到眼前的一切是那麼地不淨，又聞到陣陣的惡臭味，心中感到很惶恐！但是他還是沒辦法了解：難道修行人每天來回奔波，只是為了看這些鳥兒吃屍體嗎？尤其他還看得那麼地專注。

當修行人轉身要離開時，田主問他：「你每天要找的證人是這些鳥嗎？」修行人說：「是啊！我每天請這些小鳥來為我作證。」「你是不是犯了什麼罪？為什麼要請牠們來作證？」

修行人解釋說：「這些屍體是如此的不清淨，而我的五臟六腑跟他們也沒有兩樣，這就是人身。當我看到這些髒東西時，自己就會好好地反省：在日常生活中，難道只為了這個身體而不斷造業嗎？了知世間一切的業和罪都是由身體所造作；而身體的造作則由內心開始。所以，我希望能夠收心，看清身心的不淨，讓妄念死去。」

他又說：「但是，我的妄念還是很難去除，常會有造業的心念。因此我才會天天來這裡，希望這些小鳥為我作證。我天天向牠們透露自己的心思，甚至訴說前一天的起心動念。我告訴牠們：從現在開始，我要把心定下來，不再對世間的聲色起心動念，請牠們為我作證。」

這是修行的方法之一。我們都是凡夫，儘管看到的時候能夠體會人身不淨，並反觀自己；但是等到事過境遷，我們的心念又會跟著起伏。正如：聽法的時候，覺得很有道理，心中有所體會。不過，在二十四小時中，對人對物是不是也能夠覺悟呢？是不是可以自我內省，把心真正安住在定中？所以，我們要學習「用心轉境」，不要「心被境轉」了。

比如：在醫院裡，也經常可以看到很多皮爛、肚破或頭破的病人，不知志工們看了心裡有何感想？為了這個「臭皮囊」，我們到底在計較些什麼呢？大家應該好好利用身體、發揮良能，做一些對人生有益的事。

在日常生活中，能夠多做一分為人群付出的工作，就能多培植一分福緣；如果多一分計較，那就是在造惡業。所以，希望大家能把心照顧好，時時反觀自性。

五蘊皆空

古人說：「人之大患，在於有身。」一般人身體健康時，只會貪求物質、名利、地位。但在追逐名位，貪求一切物質的同時，可知道會惹來多少煩惱？造成多少業障嗎？

佛陀在世時，有位名叫優羅光的長者，他是個虔信佛法、敬重僧伽的人。某天早晨，他來到精舍向佛陀頂禮，然後在佛陀的座前坐下來。佛陀問：「你今天為何這麼早來？」他回答：「我心中有個疑惑，想要請教佛陀。」

佛陀說：「你心中有什麼樣的疑惑呢？」他說：「佛陀，人有病痛時很痛苦，該怎麼辦呢？」佛陀說：「大家都只知道病痛的苦，卻不知道要怎樣去掉病痛的起因。」長者就問佛陀：「佛陀，要如何去掉病痛的痛苦呢？」

佛陀說：「眾生平日只一味地向外貪求欲樂，等到身體有病時，心也跟著病了，才會苦不堪言啊！若能身病、心不病，病痛即可解脫。」

「嗯！身病、心不病，病痛就能解脫。」長者聽了，好像了解到一點點道理，就很歡喜、滿足地向佛陀頂禮告退。他走到精舍外面時，心想：舍利弗在佛陀的身邊學了那麼多法，不知他對病痛、生死有何看法？這時，長者看到舍利弗在大樹下打坐，便走到舍利弗面前，向他頂禮。

舍利弗說：「長者，你今天看來神情愉悅，有得到法寶嗎？」長者說：「嗯！我剛從佛陀那裡得到了甘露灌頂，心裡很歡喜。」舍利弗就問：「佛陀給你什麼樣的妙法？讓你如同甘露灌頂呢？」這長者就把佛陀說的話又再重述一次。舍利弗進一步問：「但是要怎樣做，才能身病、心不病呢？」長者說：「對啊！我忘記問了？我們要如何達到身病、心不病的境界呢？」

舍利弗為他解釋道：「人都有五蘊（色、受、想、行、識）的煩惱，身體和外面的境界都叫做色。有了健康的身體和外面利欲的誘引，一般人就會向外追求，結果惹來了滿身的煩惱。又時日的遞增積勞，使得身心疲乏而得病，一旦生病後即感受到全身的痛苦。這些感受使得日常生活充滿了對病與死的恐懼，也就是受、想、行、識完全籠罩在悲痛、苦難之中，這就是對五蘊的執著。若能知道身體是假色，知道世間利欲無常，知道身體老、病、死的自然。身體的病痛，自然就不會那麼痛苦了。」

優羅光長者聽了、體會之後，非常歡喜。由這段故事，我們就能夠知道：其實，一切都是因執著色、受、想、行、識而使自己痛苦啊！

有一次行腳時，委員帶了一位正在就讀研究所的年輕人來看我。委員告訴我：「他說要聽師父幾句話後，再決定他的人生。」我問他：「你有什麼事呢？」年輕人說：「我被情綁住，沒有辦法解脫，我不想活了。」委員說：「他自殺了好幾遍，現在研究所也沒心情念了。」我說：「你把感情看得那麼嚴重嗎？」他說：「我們交往很多年了。」

我問他：「交往多年，那情有多重？來！拿出來秤一秤讓我看。情在哪裡呢？」他若有所悟地說：「是啊！不輕不重呢！」「既然不輕不重。你為何要為她尋死尋活呢？你少了這個人，天就塌下來了嗎？真正值得你愛的人是永不變心的；會變心的，難道還值得你愛嗎？為什麼你要為她受苦、折磨自己？」

他說：「我知道了。師父，您是不是要我繼續完成學業？」我說：「是的，如果能把觀念導入正確的方向，大好的人生就在你的掌握中。你可以發揮智慧，為人群付出；為何不將想死的勇氣，拿來發大願呢？」年輕人回答：「現在我明白了。我會把心收回來，專心在學業上。」

沒錯啊！一個人擁有健康的身體，但是，只為了一點點煩惱，為了私情、為了小愛就要傷害自己，這不是很不值得嗎？人生如果拿情與愛來困擾自己，結果一定是傷害他人也傷害自己。

假如受了一點病痛就好像天要塌下來，所有的精神全都放在身體的病痛——身病、心也病，多痛苦啊！所以，我常說：「假使有病痛來時，要痛快、痛快。」身病、心不要病，就是這個道理。總之，要把身心放開，在日常生活中盡本分事，這才是真正人生的價值。

心靜即明

學佛，就是要學得可以清清楚楚地知道「生從何來，死往何去」，但是談何容易啊！不過，佛陀懂得用智慧來引導我們，首先要我們「心靜」。心若能靜下來，一切的境界就會很明朗，如此，即可反觀自己，了解「我現在是怎麼生活的？」人若看得開，自然對生死就會放下、自在。

佛世時代，佛陀與弟子有一段時間都住在王舍城的竹園精舍。由於弟子眾多，所以有一群弟子由舍利弗帶領住在靈鷲山。舍利弗「智慧第一」，比丘們心中若有疑惑也會請教他。

有一天，摩訶俱絺羅尊者在打坐時，忽然想到：自己是怎樣出生的呢？

人生為什麼會有生死無明？他打不開這些謎題，便起身走到舍利弗的禪房。

俱絺羅很恭敬地對舍利弗說：「尊者，我心中有一點疑惑——佛陀常說眾生是因無明聚集而衍生，到底無明在哪裡？它是從哪裡生出來的？要怎樣才能解開無明呢？」

舍利弗回答：「無明是出於無知；因為無知，所以不明白。其實，它就是從不了解『色、受、想、行、識』的虛幻不實而衍生的。因為我們沒有用心去體會：人生從未離開過『色蘊』，看得到的東西都是色，色有生有滅。我們不了解物質為什麼會有生滅，因此常會起執著心，那就是無明了。再來是不瞭解『受』——心中的感受。只要看到、聽到或接觸到的人事物，心中都會有種種的感受，看到順意的就高興；不順意的就生氣。若不知道感受的虛幻性，就會有煩惱，這也叫做無明。」

又說：「平常人感受之後，就會有自己的想法，若境界過後還執著於形象，這也叫做無明。為什麼有生死這種『行蘊』？也就是來自於執著。我們用『意識』來感受外面的境界，所以造作了很多事之後又心生後悔，這都叫做無明。若無法透徹明瞭『色、受、想、行、識』這五項，心就會解不開、放不下，這也叫做無明。」

舍利弗這段話是很抽象的道理，我們要怎樣學佛，才能學到對「色、受、想、行、識」都完全透徹、瞭解？這就要憑我們自己去用心。

譬如大地上的泥沙、石頭、草、樹木……，甚至我們的人體，這一切都包括在「色蘊」中。一株草為什麼會從土裡生長出來？是因為有草的種子和泥土、水分、陽光、空氣聚合在一起，才會長出草來；而且花草長出來以後，仍離不開泥土、水分、陽光和空氣這些因緣，才能不斷地成長。但是草長到一定的時間，就會變黃、枯萎；這就是「行」的變化，行蘊不斷地生滅變異。

人生也是一樣，一定是經過嬰兒期、幼年期，然後少年、中年，再漸漸進入老年。在這段時間，到底是怎樣長大的？我想：每個人對自己的身體都無法透徹瞭解；不只無法瞭解，對生滅無常的「識蘊」，也就是自己的想法、感受也無法透徹明白。

在醫院裡，我們可以看到各種病患，各有不一樣的人生觀念——有的人很怕死，一生病就想到死的恐怖！因此，有的人不是真正病死，而是「怕」死的；是心理的惶恐、鬱悶，而加重他的病情。但是，也有些病人卻很樂觀，病也就比較容易痊癒。

曾有一位肝硬化的病患表示——在他「百年」之後，要將他的遺體捐給慈濟醫學院做病理解剖。他說他這輩子對人類沒什麼貢獻，在最後能將這副臭皮囊奉獻給醫學教育，內心感到很欣慰！

如此灑脫、樂觀的人，可以說已經將「色」蘊看透了，他對生死早已看淡，不管「受、想、行、識」是否瞭解都已無關緊要了。初步的「色」看得開，一切也就能看得開。所以，要好好反觀自心；心如能靜下來，無明才不會籠罩著自己的身心。

恆河沙

記得在二十多年前，東初老法師來靜思精舍參觀時，對這裡很讚歎，說環境很素雅，對慈濟甚為鼓勵。有一次我去臺北，有個機緣去北投拜訪老法師。他非常歡喜，很慎重地從佛龕中取出一個用紅布包裹的東西，說：「法師呀！我對你很特別哦！這是我從印度請回來的，分一些給你！」

他非常慎重地解開繩子，紅布一層層地展開，又拿來一個清淨的小瓶子，說：「我只能給你一點點……」我問：「老法師，這是什麼？」老法師說：「到恆河去的人，一定會拿一些沙回來。這是佛陀曾經走過的沙，很有價值呀！」

我仔細看，那些小沙子閃閃發光，細得像麵粉一樣。回精舍後，我敬慎地把它供奉在佛龕中。

有一次我到七星潭探訪貧戶，陽光照耀著的沙灘也是閃閃發亮，我發現那也像是一片恆河沙啊！但是，那裡的沙卻毫無價值；人們牽著牛群在上面踐踏，一點都不覺得珍貴。同樣是地球上的沙，但是心態不同，價值感也就不同。

看完個案，回到精舍，我從書房的佛龕裡拿出那瓶恆河沙；大地上有那麼多沙，為何我會把從老法師手中分來這一點點沙，供在佛龕裡？兩者的分別在哪裡呢？後來，我想通了：分別在於老法師的一念心！

老法師遠從印度把恆河沙帶回來，又慎重地表示「只有你才分送一些」，這句話很有震撼力！再者老法師的慈祥最有價值，因此我才會把它供奉於佛龕裡。老法師覺得恆河沙有佛陀走過的痕跡，所以對恆河沙非常敬重，這是出於一片虔敬之心，可見一切唯心啊！

佛陀在世時，弟子鳩摩羅迦葉在某個鄉村一方面自修，一方面弘法。有一天，當地有位富有的長者來請教他，問道：「聖者，我常聽您說人死後，靈魂會隨著自己所造的善惡業而上升天堂或下墮地獄。這聽起來有道理，可是要如何證明？你可否舉例證明？你又說『一切唯心造』，這個心又是什麼呢？心的作用、形態是什麼樣子呢？」

鳩摩羅迦葉說：「長者，舉例來說，如果有一個人犯了重罪，國王判他死罪，他的家屬若要求讓他回家探親，你想：國王會允許嗎？」長者說：「哪有可能允許呢？因為即將受刑，怎會再讓他回家呢？」鳩摩羅迦葉說：「同樣的道理，人若犯了重罪墮入地獄，受刑毫無間斷，哪有可能再回到人間證明呢？」

長者又問：「上天堂的人呢？他不能回來嗎？」鳩摩羅迦葉回答：「再舉一例，若有人夢見和親人歡樂相聚，他故鄉的親人能體會到嗎？」長者說：「夢境唯有他自己知道，別人怎會知道呢？」鳩摩羅迦葉說：「同理，各人所造的善惡業，只有自己能感受到，別人感受不到呀！雖然無法以具體的例子證明，但是『信為道源功德母』，應善思惟。」

曾有某位大企業家的夫人問道：「我大伯不相信因果，我很想引他進入慈濟，但是他說：『你們都說做好事有好報，什麼因果輪迴，你們拿出證據給我看呀！』我不知要用什麼方法才能讓他相信？」

我說：「六道輪迴很難用實例給你們看，而是要心會意解。若沒有虔誠的信念、不肯用心體會，光要人家拿出證據，就像癡人夢遊，不得見道！」她說：「但是他很相信風水，有人說他父親的風水不對，他為此花了很多錢。」這真是矛盾！其實，他是迷信而非不信。

學佛要理智，不妨以現實的生活實例來分析是非。其實，最怕的是心念的差錯，以及行為的偏差，這是最實際的因果。「因果」應謹慎於現在種何因、得什麼樣的果更重要，因為真正的因果掌握於當下這個時刻。

因此，不要想：現在不如意，是不是祖先的風水在作怪？陰陽兩路各不同，為何要為此煩心呢？學佛要昇華理智，不是無由地給人壓力，使人害怕而不得不去做。正信的佛法，能引導人起歡喜心、行菩薩道，而不會說一些怪力亂神、讓人莫名害怕的事。總之，心念應端正，觀念不迷信，這才是真學佛者。

三粒玉米糰

為善就好像掘井一樣，只要井掘開了，將水汲出來同樣會再湧出泉水；最怕的是，我們不懂得掘井，布施不是有錢人的專利，只要發心人人都能做到。佛陀曾說過，功德最大的布施是：發自內心最歡喜、最虔誠的布施。

佛世時代有一則故事，當時佛陀帶著一群比丘住在王舍城，那時印度有很多宗教，而且社會上普遍存有一種觀念——只要你有修行，就值得地方人士來供養，供養的人也因此能夠得福。所以，很多修行者不管是印度教、婆羅門教或其他宗教徒都由社會大眾布施供養。

佛陀成佛之後，國王、大臣這些高階層人士常設宴備辦豐盛的菜餚，恭請佛陀及比丘來應供。但是佛陀覺得：應該要讓一般大眾有機會接觸佛法，並且能親手供養植福，所以佛陀對大眾說：「從現在開始，不分階級，大家都可以來供養、耕植福田。」

某一天在王舍城中，有一群人在街道上議論著：「佛陀又回到這裡，我們不要錯失機會，要趕快來供佛。」其中有一位做苦工的窮人，不過，他跟大家一樣，供佛植福的心願也很強烈。但是，他回到家裡打開米缸一看，裡面是空的！他就想：我該怎麼辦？要用什麼來供佛呢？

他就一直找，可是只找到一些稍微變色快發霉的玉米粉，他拿起來聞一聞，已經有霉味了，該怎麼辦呢？想一想，家裡也只有這些了，就用水攪拌後揉成糰子，又摘來月桃葉，包起來生火烤熟。他一共揉了三糰，那是家裡僅有的、全部的玉米粉。

他拿著這三個玉米糰，抱著最虔誠的心來到集合的地方。佛陀準時帶著一群比丘到來。大家都捧著缽，裡面放了很豐盛的食物，人人都期待「佛陀能親手接過我手中這缽飯」，所以都舉得高高的。

佛陀看到其中一位捧著用月桃葉包裹著食物的人，本來也舉得高高的，但是抬頭看到佛陀時，又把東西放低下來，頭也垂得低低的。貧者心想：大家供養的食物都是這麼豐盛，我這些東西哪有資格獻給佛陀呢？這個念頭一起，就慚愧地把東西放低下來。

但是佛陀卻走向他，慈祥地說：「你不是要供養嗎？」當時他好感動，就將這三顆月桃葉包的糰子呈給佛陀。他感動得淚流滿面，心想：那麼多豐盛的菜餚，佛陀怎麼偏偏要接受我的供養呢？

這時，很多人也都議論紛紛地看著這位貧者，問他：「你的供品是什麼呢？」貧者說：「那是快發霉的玉米粉糰。」大家心想：怎麼用這種東西來供佛呢？

這些話就一直傳布出去，甚至有人去向國王、大臣報告。當時國王和許多大臣、長者都趕來了，大家看到佛陀吃得很歡喜、很滿足，所以都認為：這位供養者的功德一定很大！

有些人就要拿錢給這位貧者，他們說：「拜託你讓我也參加一分，請你接受我的獻金，把你的功德分一些給我。」這位貧者說：「我只不過是以很少的食物供佛，哪有功德好分給你們呢？」但是大家都說：「如果你接受我的財物，就表示供品裡也有我的一分，這樣你的功德就可以分給我們了！」

他覺得很疑惑，就去請教佛陀：「佛啊！有很多人要給我錢，叫我把功德分給他們。」佛陀說：「可以啊，你可以收下來。」這位貧者說：「我要怎樣把功德分給他們呢？」佛陀說：「你將他們的財物收下，讓大家歡喜，這種隨喜就是功德。」

是的，能夠隨喜就有一分功德。慈濟走過三十三年了，我們用最虔誠的心付出，大家也用最虔誠感恩的心來捐助，所以我常常說，慈濟是感恩、大愛的世界；大愛、感恩不斷地循環。大家所付出的，我們再為社會建設，或者用於救助國內外需要幫助的人，把這分愛匯聚在一起發揮濟世的良能。

現在慈濟人遍布全球，不論是慈善、醫療，還是教育、文化工作，也都做得好歡喜，可以說已經將愛的種子、愛的力量，散播到地球每個角落，期待愛的成果能早日結滿於地球慈濟村，讓更多人能同享安樂之果。

人生的色彩

發心當菩薩其實一點都不難，只要有心就能成為人間活菩薩。佛陀說：「心淨則土淨。」一念之間就能普遍於十法界，大家要成佛、當菩薩或甘願做凡夫，甚至墮地獄、三惡道呢？這都只是一念心的作用啊！

「心、佛、眾生，三無差別」，當我們心中起一分慈悲、憐憫，這就是佛心，此刻就是佛。你看到眾生受災受難便心有不忍，進而能身體力行、勇猛精進投入助人的行列，這個時候你就是菩薩。如果只顧自己、不管別人，這只是獨善其身，不是佛陀所要提倡的；佛陀鼓勵修學者「要成就自己，必須先成就他人」，這才是菩薩。

普天之下這麼多人，但是有多少人發心當菩薩？其實，要當菩薩並不難，只是有些人因緣不夠，沒機會參與。佛經中有一句話：「富貴學道難。」富有的人想要追求真理比較難，因為沒有適當的環境，每天面對的是紙醉金迷的生活，所追求的只是享受，心中除了名利之外，還是名利財富的貪求。

貪求財富、享受的人生有什麼意義呢？有人說：「某某人很有錢，他的生活多彩多姿。」但是，我覺得這種人生很無聊，吃飽了又等著吃；所用的都是高級品，還要再追求更好的；睡飽了無聊還要再睡，人生只為了美食、貪睡、享受，這種人生有什麼光彩呢？

如果能真正投入社會，探討人間的苦痛，了解人生的疾苦，就知道人生像一座舞臺，有的人在舞臺上站得很穩，能扮演好自己的角色，知道要演什麼樣的劇本，這樣的人肯定是一個很穩健的人生。因為他能掌握自己的方向，不會迷失，知道守好人際之間的本分。

譬如：有一位從軍中退休的文居士，以前他和許多退休的老榮民一樣，曾經風光過、享受過；但是退休後，便認為「一退萬事休」，每天就是看報、聊天或是找些如何使自己更長壽的方法，生活範圍變得十分狹窄，甚至認為茶來伸手、飯來張口是理所當然的，凡事要人家侍候他，久而久之與老伴之間就累積了很多的不滿，這種人生即使再健康、再長壽，也不過白白空過而已。

不過，他走入慈濟之後，生活就不一樣了，開始懂得用心，懂得善用人生使用權，會體貼太太，幫忙太太做家事，彼此培養「老來伴」的感情，我想這樣的家庭生活比年輕的時候更愜意、更和諧。

另外有一位婆婆起初對媳婦熱心參與慈濟感到很不滿，認為：「自己的事都照顧不完了，還要照顧別人。為何要吃自己的飯，做別人的事？」這種計較的人生觀，心量就會很狹窄；心量一狹窄，就不會歡喜，一個家庭婆媳之間計較多，彼此難免會有代溝。

還好，媳婦一方面帶妯娌一同來做志工，另一方面很有耐心地讓婆婆慢慢了解。現在婆婆也會站出來說：「感恩，感恩媳婦把我第二、第三個媳婦都帶出來做慈濟。」現在他們全家都是慈濟人，天天都有慈濟話題可談心，工作也配合得很好，的確是「家和萬事興」。

一家人能有共同的話題，朝著共同的志業去投入，這個家庭一定會很幸福。古人云：「修身、齊家、治國、平天下。」如果每個家庭都很幸福，社會自然就能祥和。我常說慈濟是個大家庭，慈濟的道路很長，需要浩蕩長的隊伍不斷地來接力，大家要齊心合力，才能達到我們的目標——社會祥和、天下無災難。

鑽石人生

人生在世，短短幾十年，扣掉小時候的懵懂時期，再減掉接受教育的時間，待學業完成後才能投入社會，為人群付出。然而，真正能為人群付出的時間有多少呢？

前幾年的時間得先打基礎，基礎穩定之後才能真正去付出，這段時間又要花費多少呢？才開始覺得自己在付出時，很快的年紀又漸近中、老年期，真正對人有所奉獻的時間真的很短。所以說，了解道理的人會珍惜時光，分秒都用於創造有價值的人生。

有一件個案，有位中年人喝醉酒後，因細故跟七個人打架，他自以為是英雄——一個人打七個人，還很自鳴得意。雖然被他打的人受傷了，但是他自己也傷得不輕；而最難以治療的是瞋毒，互相結怨尋仇，還要時常吃上官司。

官司纏訟是否能和解？就算官司和解了，心結卻難以和解，時時得提防對方再來尋仇。這就是不懂得人生的道理，也不清楚生命的價值觀，使得家中愁雲慘霧，讓父母擔憂苦惱，也造成自我傷害，更為社會惹來很多動亂。這樣的生命在世間只是遺禍社會，還有什麼生命價值可言，這是最悲哀的人生。

志工們在醫院看到很多種個案，相信大家都很有感受，這是活生生的教材，可觸動內心的思惟，我想這也是最刻骨銘心的學習。學習之後，一定要好好運用在日常生活中。

有位慈青志工說媽媽是委員，可能媽媽把慈濟精神運用得很生活化，所以他反而不覺得有什麼特別，甚至認為這就是人之常情。譬如：人要有空氣才能生活，但是在清新、流通的空氣中，我們感覺不到「要依賴氧氣才能健康、自在」。

就像魚在水中游，水如魚生命中的氧氣，魚離開水根本就活不下去，可是魚在水中並不覺得水很寶貴；我們生活在空氣中也是一樣，習慣成自然，往往最重要的東西最容易被忽視。不過，能像這樣「不知不覺」的還算不錯，因為這就是正常的狀態，也就是健康人的生活狀況。

看看復健室裡，當一個人需要對自己說：「我要努力學走路、學動作。」就表示他已經「感覺」到——連要拿一支筆都非常艱難；平常我們拿起筆就寫，一點也不困難，這就是健康正常之時。如果必須用力拿筆還拿得非常辛苦，這就是「非常」了。

所看到的個案真的要「刻骨銘心」地記在心裡，常常警惕自己，一直到融入生活，變成平常、正常，那就成功了。這與佛教中的一句話「修而無修是真修」道理相同，若是只把修行掛在嘴上，並不是真正的修行，要修到生活中舉手投足都很自然，這才叫做真修行。

又如：病人很感恩地接納志工，為何病人認為志工是可信賴的呢？因為長久以來，志工們都很用心地為病人服務，與病患建立良好的互動關係。然而，是否在穿上那件志工背心時，才讓人覺得友善、可以依賴呢？我們應該時時把志工精神放在心裡，落實於言行，而不是背在背後。

不管是在家庭、學校或社會上，希望都能讓人感覺到「有你在，大家就會很自在；只要有你在，一切都不用擔心掛礙」，一定要做到這種程度才是成功的人生。人生壽命的長短不是最重要的，最重要的是我們所做的是否對人生有益。

時光易逝，大家要把時間當鑽石，不要把時間當泥土，這就是尊重自己的生命。不只是「有人生病了，我們去照顧；有人危急時，我們去救助。」叫做尊重生命，尊重生命是把自己的生命時光好好運用，珍惜時間妥善地應用在工作中，讓生命有價值才會受人尊重，我們要多用心，創造一個閃閃發亮的鑽石人生。

自愛愛人

我常說：「苦難的眾生不一定是別人，往往就是自己。」因此，我們要能解決自己的苦難，才有辦法解決別人的苦難；要先讓自己快樂，才能使別人快樂；先拔除自己的苦，才能拔除別人的苦，這叫做慈悲。

凡夫往往會忘了自己，跟「自己」計較。佛陀來人間是要救度眾生，而我們自己也是眾生之一，內心可能仍充滿煩惱——貪、瞋、癡、慢、疑，這五種大病煩惱，不只會損傷自己的身體，最可怕的是損傷我們的慧命。

看看社會上有多少人，就是因為有貪、瞋、癡、慢、疑的心，而做出傷人、不利己的懵懂事來，這都是自己所造成的。有很多人在造罪或造惡業之後，自己也很難過，即使能暫時逍遙法外，仍逃不過自己心靈的譴責，這就是「苦難的眾生」。

也有人不是去傷害他人，而是傷害自己。現在的社會常有人做傻事，動不動就自殺——跳樓、跳海……以各種方式毀傷自己；之後，有的人求生不得、求死不能，真是苦不堪言！我們在醫院裡常常會看到這種因為心理不健康或一念之差而造成終身的遺憾，這就是心靈的苦難「過不了」。

有的人想以傷害自己來折磨他人，這種愚癡的心態不只傷害了自己、拖累家庭，也折磨他最親愛的人。總之，有很多人生的苦難，都是因為與自己的煩惱「過不去」，人與人之間缺乏善解、包容及感恩，更欠缺知足的心。

知足常樂，人與人之間在事物上應善解，對「人」要包容；對「事」要感恩，若能用這「四神湯」來面對人生，我們的心量就會時時放寬。心寬天地寬，還有什麼會「過不去」呢？

有的人會說：「我是學佛者，我要救度苦難的眾生。」但是又往往忽略了自己，雖然想發揮一分愛，卻忽視對自己要更自愛。自愛，並不是「不要做事，要多休息，不要出力氣，不要……」不是如此。

「人生沒有所有權，只有使用權。」來到人間，應該要把身體「用夠本」，要不然每天服侍著身體——時間到了要吃飯；每天汗流浹背，不能不洗澡；到了晚上，不能不休息。這一生當中，我們為這個身體付出多少時間？為了身體，引起多少計較？若不好好利用它，真的是「不用白不用」。所以自愛，並不是不利用身體，相反的，我們要好好善用它。

善用身體也要好好保養身體，而最重要的是要保養心理。因為一切的言行造作都是從心而起的，如果沒有起心動念，身體就不會造業，而貪、瞋、癡、慢、疑，就是殺傷慧命最大的病根，所以要用心降伏、去除這五種心靈的病態。

一般人有時也能安定別人的心，但是，很少有人能夠真正安定自己的心。大多都是懂得救別人，卻疏忽了救自己的煩惱心，常常跟別人過不去，這就難於突破自己的心結，心中充滿煩惱苦悶。想一想，苦難的眾生難道只是別人嗎？不要只求佛菩薩加持、解除我們的苦難，應當學習佛菩薩的慈悲、智慧，超脫自己的困境。

佛陀示現在人間，讓我們知道——他藉由別人的處境而自我覺醒，想到自己再幸福也逃不了生老病死，愛別離、怨憎會、五蘊熾盛這些苦難，因此放下一切去追求真理。在過程中也要先從凡夫一步步地學習付出，再用心研究，然後突破心靈的矛盾而開悟。

所以佛陀一生的「說法」，是他身體力行的體悟。同樣的，慈濟世界的開創也是大家身體力行，一分一寸鋪出來的路，而我們的路是不是鋪完了呢？還沒有。現在仍需要大家和我一起鋪路，因為前面的路還很長遠，理想的目標也很遙遠。前面有墾荒鋪路的人，後面也要有很多人跟著種樹；能夠親自投入，比沒有鋪路只走這條路的人，更有成就感，因為從實踐當中，就能增長自己的悲心和智慧，也可以解除自心的疑惑。

所以，大家要真正徹底了解：不要只求佛菩薩保佑，而是要提升智慧隨緣幫助別人，更要知道如何拯救自己。

人生四寶

愛心的行動不只是自己做就好，還要帶動別人一起來做；也不只是一時做，而是生生世世都要做。所以大家不要想：我年紀大了、沒有用了；其實年紀大了，才更要把握機會多做、多造福。

有一對婆媳來看我，談話中，婆婆告訴我：「師父，我年紀愈大愈忙。早上媳婦睡得晚，兒子要上班，孫子要上學；她不起來準備早餐，我就得起來準備，真是愈老愈忙。」媳婦坐在一旁說：「媽，我是想：您現在年紀較大，讓您有運動的機會。」

我就告訴這位婆婆：「妳聽到沒？她沒有惡意，是要讓妳早點起來運動，我們年紀大了，再不做就沒機會了，所以能做就要感恩。」這是對婆婆的安慰與鼓勵。

對媳婦則說：「當媳婦應該要懂得體貼、孝養長輩。因為妳是孩子的『模』，妳如何對待公婆，兒女也都會看在眼裡，所以，應該做兒女的好榜樣。更何況真正的活佛是我們堂上的父母、公婆，能孝敬長輩，讓父母、公婆歡喜，以孝愛傳家、必得福報綿延。」

我最近都說，人如果能「安心睡、快樂吃、歡喜笑、健康做」就是幸福的人生，如果每天晚上都能安安心心地睡覺，不怕風雨，不必擔心會不會淹水，也不必害怕小偷、強盜會不會來撬門？這就是風調雨順、祥和的社會。

我們要有信心，只要大家都有一分好心，做好事、守本分，就能慢慢將社會風氣帶動起來，人人都能抱著好心、好念，社會就能安定祥和。所以人人能安心，對人有信心，就能「安心睡」。

平時大家能各盡本分，士農工商就會蓬勃發展。先生用心於事業；子女努力於學業；家庭主婦做好自己的家業，甚至一家人都能同一志業。晚上大家回來時，就能圍繞在飯桌旁，有一個共同的話題；全家團圓樂融融，享受天倫之樂，所以能「快樂吃」。

心中無煩惱，能時時利益他人，對人沒有損害之心，人際關係就會比較圓滿。要能看得開，遇到人事問題應善解、包容，對自己的環境要知足，對人對事時時感恩，心中常有這四件法寶，就不會有煩惱；沒有煩惱，就能事事歡喜，待人處事會很誠懇地從內心展現微笑，而不是皮笑肉不笑，這就是「歡喜笑」。

常有人歎道：「年紀大，沒用了。」年紀大沒關係，只要健康而且甘願做，就是最有福的人。壯年時期有的人沒有機會來奉獻、做一些付出愛心的事；現在年紀大了，子女已成長，家業也不用擔心了，應該利用人生的後半段認真去做。比如：慈濟現在仍有很多建設，一把沙、一塊磚、一條鋼筋都是千秋百世的建設，也是分秒救人的建設；能夠隨力盡分地投入，就能積功累德，這便是「健康做」。

大家用這分最誠懇的愛心投入慈濟四大志業，就能和心牽手，可以在你我共同的開創中，走出一條康莊的大道。

所以，我們要精進，天天都要守好身口意三業，但是，不是叫別人配合我們，而是要訓練自己配合別人，要學習能與人和心互愛，心能和齊，團結力量就很大；善用生命的人生，懂得應用良能，不與事爭，不與人爭，不與世爭，但盡本分，時時安心無煩惱。

回饋眾生恩

一位移民英國的慈濟人，他的工廠設在南非。有一天，他從英國打電話給我說：「師父，我可能要關閉南非的工廠回臺灣了。」我問他：「為什麼呢？那邊有好幾千名工人，如果關閉了，不是很可惜嗎？」他又說：「不結束不行，最近那邊社會秩序很亂，黑人常常出來搶劫、放火。」

我勸他：「人人來到世間都是『帶業』來的，若有這個業，跑到哪裡都躲不過；如果沒有，當然就不會遇到。既然以前你覺得臺灣的環境不理想而去南非設廠，就應該『取諸當地，用諸當地』。臺灣人在海外之所以不受人尊重，是因為平時用人家的資源、勞工，最後卻獨享成果。當地人不斷付出勞力，但是所得很少，導致他們的長期貧窮，貧窮起盜心啊！貧富差距愈大，他們必然會反抗。你們應該改變方式，賺了錢應該要回饋當地社會，這樣才會受人尊敬。」

我告訴他一個例子：一九九六年，美國也發生黑人暴動，一位由高雄移民過去的慈濟會員開車出門，他是做麵包生意的。車開到靠近市區時，突然有好幾個黑人把他圍住，兇巴巴地問：「你是哪一國人？韓國人，還是日本人、中國人？」因為都是黃種人，一時也分不清。

這位會員很害怕，老實地回答：「我是中國人，從臺灣來的。」黑人一聽，態度完全改變，露出笑容說：「不要再往市區去，那裡很危險，你趕快從另一條路回家去吧！」這位會員覺得很納悶，心想：奇怪，這些黑人一開始那麼兇，為何我說是從臺灣來的，他們的態度立刻變得很溫和，並且指引我安全的路？一回到家，他就問僱請的黑人婦女這件事。

黑人婦女說：「黑人發起暴動的時候，大家都有一個共識——要保護臺灣人；要搶的對象是韓國人和日本人。」他問：「你們為何要特別保護臺灣人？」她說：「因為臺灣來的慈濟人都對我們很好，提供我們的孩子獎學金，而且關心我們的生活，常常幫助我們。」他又問：「你說什麼機構在幫助你們？」她說：「是慈濟啊！」他聽了很感動，趕快打電話給高雄的委員告知這段經過，感恩慈濟救了他。

在南非設廠的委員聽了這個故事後，覺得很有道理，他說：「師父，我懂了，我知道該怎麼做了。」於是，他就從英國飛到南非，召集工廠的負責人，除了宣布決定不撤廠之外，也要大家多關心黑人的生活。因為師父說的，要先付出才會受人敬重。

他在當地找了很多的臺商，大家合力來做。那段時間，雖然黑人仍然常常出來搶劫，可是慈濟人很勇敢，還是整輛車載著藥品、食品、日用品，進入黑人區去發放。他們已經持續做了五年，因為慈濟人付出真誠的關懷，所以黑人朋友們也都很感恩慈濟人。

大愛是不分國籍、種族、你我的，只要肯付出，一定能得到相對的回饋，就從我們生活的地區做起，讓天地間到處充滿愛的氣氛，何愁沒有「社會祥和，天下無災難」的一天呢！

愛心總動員

一九九九年九月二十一日的大地震，震得我心都碎了。任何言語都無法表達內心的哀傷！祈求在這次災難中的往生者能靈安自在，隨緣發願再來人間！也虔誠為傷者及受災受驚的鄉親們祝福，希望大家能很快地脫離傷痛，心能早日安定下來。

很感恩全省各地區的慈濟人急速趕到災區，大力提供協助、二十四小時輪流供應飲食。救難者沒有離開災區，慈濟人絕對不會離開！有很多慈誠隊員也投入救援的工作，冒險運送物資進去災區，很多地方山崩路斷、橋也斷了，而且餘震不斷，他們還是設法送達物資，這分不畏艱難的毅力，的確令我感動！

我很擔心那些露宿在外的災民，若遇下雨怎麼辦？因此，我們趕緊準備了一些帳棚請慈誠隊運過去。並且向全省的慈濟人發出訊息：只要是受災者所需的日用品，我們絕對充分、無限量地供應。

所以，南北部的慈濟人，一批批開著車輛，載著物資奔馳在高速公路上。天黑了、路不通時，他們仍得想辦法突破難關，我實在是很感恩，也好擔心！但是更擔心還陷在瓦礫堆裡的受困者，該如何爭取時間趕快救他們出來？

感恩慈濟醫院的院長、副院長和醫護人員，立刻成立了一支「醫療救難隊」。當天下午，由四十位醫護人員組成的救難小組，到達中部受災地區後，立即馬不停蹄地投入醫療工作。也很感恩「人醫會」，從那天早上十點多開始，醫師們就在臺中集合，分成七個點，在重災區設立醫療站。再加上慈濟醫院的四十位醫護人員，相信對傷者應該會有一些幫忙。

災後，有人問：「慈濟要幫忙到什麼時候？」我說：「幫忙到一切完備。救援時，每日二十四小時供應熱食，陪伴救援人員。」全省的委員二十四小時三班輪流，不斷地供應所需。後續工作，慈濟人還要長期地陪伴這些受災者，所以無法預估到什麼時候為止。很心疼已傷亡者，但願亡者能靈安；傷者也能得救而心安，早日脫離惶恐及家人傷亡的悲痛。這條心路還很長，我們要陪伴他們走過這條坎坷路。

記得我們為土耳其大地震的災民勸募時，有人氣沖沖地指著一位委員的臉說：「你說，土耳其在哪裡？災害在哪裡？你指給我看！」聽到委員這麼說，我的心頭一顫！為什麼要看這種悲慘的情景呢？

被救是不得已的，所以我常常說，我們要發願做一個「能救人的人」，絕對不要自我詛咒「為什麼不救臺灣？」被救真的是很悲痛的事。日本的救難隊當天下午就帶著搜救犬來了，隨後，歐、美、土耳其等國家亦派出救難隊，這就是人道關懷的愛心行動。

南投縣的中寮重災區，任何物資他們都需要，希望我們急速送過去。聽了心好痛！記得土耳其災後，我們的救災人員問他們需要什麼？災民說：「什麼都需要，沒有選擇的餘地了。」現在臨時要提供這麼多物資，真的無法為他們選擇什麼了。

地震後，我立即對臺北的委員說：「現在受災的人需要錢，要發急難救助金。」因為受災者緊急逃出來，什麼都沒帶。委員說：「大家把家裡的錢湊一湊後，只有幾百萬，還不夠。」我說：「去銀行領啊！」「可是停電了，銀行的門打不開，電腦也無法運作……」

更麻煩的是，沒有地方買東西，因為很多商店的門也打不開，臺北、臺中都是如此，所以，趕緊從花蓮銀行調領現金二千萬，到北、中部災區發放給受災者，讓他們可以買一些臨時急需用品。後來，我問委員：「夠嗎？」「不夠！」我說：「沒關係，我們再想辦法。」

這次的救援行動，確實是整個臺灣的慈濟人都動員了，委員加上慈誠隊有兩萬多人，還有許多志工投入。很感恩中國石油公司支援一架直升機，讓我們可以將物資送到進不去的山區，並觀察南投地區還有哪裡需要救援？臺北也派出一架海鷗直升機，協助運送救災物品，他們從臺北起飛，到臺中載慈誠隊救難人員及所需的用品到災區；還有「駱駝隊」也加入這分高難度的救災工作。所有的救災物資，我們都已盡量收購；後來有很多愛心人士不斷提供援助品，我們也都盡量去整理、運送，發放給受災的鄉親們。

世紀末的大劫難，竟然出現在臺灣！這次大地震損失二千多條寶貴的生命，令人十分感傷，也很無奈！還好，平安的地方有驚無險，很值得慶幸。不過，大家仍要時時提高警覺，愛要時時不離心；希望有力者出力、有錢者出錢，大家都抱著最虔誠的心，一同來救援需要幫助的受災同胞。

維護生命共同體

集集大地震，這場臺灣百年來最大的浩劫發生之後，心情一直都很沈悶，非常掛念災區的情況。每天看到的電視畫面，只能用一句話形容：慘不忍睹！很不忍心看到那種景象，但也不忍心將視線移開，不知道要如何形容這種心情？好像回到四十多年前，我父親往生時的情境一樣——欲哭無淚！

普天下就像是個生命共同體——過去，當別的國家有災難時，我們去投入救災，想盡辦法要幫助他們解決困難；現在，臺灣竟然也要接受其他國家人道團體的關心及照顧，這種心情真的很複雜。所以我常說，同樣在地球上「落地皆兄弟，何必骨肉親」。

像土耳其派出數十位搜救人員來臺灣，雖然他們自己也有災難，卻能夠回饋臺灣。當他們受災受難時，有人問：「土耳其大災難，臺灣在哪裡？」其實，臺灣的慈濟人已經在當地發揮最及時的人道支援了。

還聽說有媒體在香港提出問題：為什麼大陸要撥十萬美元，五十萬人民幣的物資幫助臺灣？所得的回答是：因為當他們有災難時，臺灣慈濟也發揮人道精神去援助。這種人性的互愛是最美的，唯有大愛才能消除仇恨，人生最醜陋的是私愛與仇恨；最美的是大愛與溫情。在這次大災難中，真正見到了人類的真情，不分種族、膚色、宗教，大家共同的目標就是付出愛心。

在救難現場中，看到國外的救難隊，不顧自己的安危，在廢墟裡尋找還有生命跡象的傷者，實在非常感人。我也很期待，臺灣在這次大災難中，要有一分共識——以團隊的力量來發揮救難的動員力。

這次後續的援助工作好像有些混亂，物資太多了，看到堆積如山的物資散亂地堆在一起，在太陽下曝曬，裡面是不是有易腐壞的東西呢？是不是受災者需要的呢？都不知道。東西一到就堆積起來，尤其是送東西進去的車輛很多，交通一片混亂。

而災區民眾的生活衛生已經發生問題。像埔里等於變成了廢墟，十幾萬人的生理衛生到底要怎麼處理？所以，我對委員說：「救援物資已經很多了，我們應該集中力量，幫助他們搭建臨時的洗手間。」還有很多人無家可歸，房屋倒的倒，沒有倒的也都傾斜、龜裂了，沒有人敢住。所以，要趕快搭建一些簡易屋，讓大家有容身之所，才能安定下來。

還有罹難者屍體的處理問題，尤其挖出來的遺體都已慘不忍睹，一定要用布蓋住、妥善安置，不要讓惡臭散發出來，還要協助家屬趕快讓往生者入土為安或者火化等等。

幸運無傷者也亟需援助，如整個埔里鎮有十萬多人口，慈濟人二十四小時不斷供應熱食、安撫受災者驚恐的心。很感恩所有的慈濟人和社會上的愛心人士，大家都盡己所能地為災區提供各項協助。

在美國的臺灣華僑對這件事也很緊張，因為他們在臺灣都有親人，希望透過慈濟的分會、支會、聯絡處，得到親人的消息。而且也有很多人關心，響應捐款並繼續做勸募的工作。在南加州，有九個電視臺的人員整天守在洛杉磯分會，只要一有人來捐錢或打電話來關心，他們就拍攝下來，等於九個電視臺都在分會做現場轉播。

分支會的電話也非常忙碌，工商界人士都紛紛表示願意配合在美國的勸募活動；還有美國人醫會的醫師也要回來協助。這分生命共同體的大愛真情，在世界每個角落散發出來，這種互相關懷的行動，非常的感人。

這一波百年來最大的災難，實在很震撼人心，但願每一個人，經過這次天搖地變的災難後，要常常保持互相關懷以及大愛無國界的胸懷。平時我們能夠多去付出，等到需要別人幫助時，大家也會很自動地來幫忙，人與人之間一定要有這分人傷我痛、人苦我悲的心懷。

善的心力

有一位大企業家專程搭機來，看到我就很難過地痛哭。他說：「很慚愧，以前師父在提倡國際救災，尤其這次土耳其的勸募，我只是聽到、看到，感動只是一點點，回去後就忘了！覺得很遙遠，跟自己一點關係都沒有。現在大地震發生在臺灣，我覺得很心疼，是跟自己息息相關的痛。」

幾個月來，我不斷地呼籲大家要把愛心動起來，有兩種含義：一種是呼籲大家要居安思危，天災很可怕，臺灣不大，一有天災發生，將是非常慘重、不堪設想的；另一種是，人禍非常的殘酷，所以希望大家要提起這分大愛的共識。

我又對他說，以臺灣人口而言，真正長期發揮愛心的人，比例還是太少。他說：「師父，雖然我是您的弟子，照這麼看，我還不是會員，因為我並沒有持續繳會費。」

他有很多關係企業，這次也發很大的心，所以我說：「不遲，從現在開始，你可以發揮很大的力量；可從你的事業開始，鼓勵每位員工、每月細水長流地付出。我最需要的就是會員，每個月不需要捐很多錢，只要一點心，哪怕是一個月五十元、一百元，當你捐出這小小的一滴，你就會起一個念頭——救人，只要有救人的心就是造福。現在最需要的就是很多人把這分造福的心提起來，而且要細水長流，有恆常心。」

所以我說：「這一波過了之後，我們要大大提倡為善恆常的心，永久的會員才能將善的循環提升起來。」否則，貪瞋癡的氣太高了，唯有把善的心力提起來，這樣才能維持平衡；善的心力能更多一點，就是淨土。

很感恩海外的慈濟人在僑居地也紛紛動員募款，除了當地的華人，還有當地的國人響應捐款，他們已經匯回善款，而且還要繼續勸募。國內感人的事也很多，像中視和大愛臺一起轉播愛心義賣活動，這次完全是為了震災而舉辦。希望每個角落，每一個人都能提起愛心，這是不可缺少的、救人的脈動。

這都給我很大的信心、力量。為了要陪伴震災受難家屬走這條遙遠、艱辛的路，的確是需要全球慈濟人一起來關心。所以，平時我們應該要常常發願去救別人、及時去幫助別人；否則需要接受別人幫助時是很無奈的。

有人問道：是不是我們沒做好，還是做得不夠，才會發生這種災難？我說過，臺灣有兩千多萬人口，但真正在細水長流，有恆常心付出愛心的會員大約只是二十分之一，這樣夠嗎？好比一場球賽，若只有幾位投手、捕手好，但是團隊精神不夠，我想，這場球賽也不會贏。同樣的道理，眾生共業，要有多數的善，人要多；愛要大，福氣才會大。

經過這次災難，我們仍要有感恩的心，想想，七點多級的大地震，而且是震動全臺灣，還好大多數的人都平安，所以有多大的福氣，就可以消多大的災，和重災區比起來可說是重業輕受。當然，那些完全破滅的地方，實在很讓人心痛，不過，慈濟人一定會陪著他們走過這條心疼、艱鉅的道路。

自在的終點

從平凡的感動中，
閱讀生命的終點。
身心平安自在，
那一個個歡喜的驚歎號！
在生與死之間，
延續著眞理的註解。

生命廣角鏡

慈濟醫院曾為兩位高齡的老太太做開心手術，其中一位是東南亞最老的「開心」人——已是九十歲高齡。因為心臟冠狀動脈阻塞、無法打通，所以需要進行開刀手術。

我們的醫生考慮之後，決定為她開刀，因為有三個成功的要素：一是這位老人很樂觀、善解人意，脾氣又好，對兒子媳婦都很疼愛。再者，她的兒子媳婦也很孝順，對老人家照顧得無微不至。還有，我們的醫生對醫護團隊及志工的關懷很有信心。

醫生為這位老太太動完手術後，就去找一位志工，說：「師姊，我有一名患者，需要妳發揮功能。」志工說：「要我發揮什麼功能？」他說：「只要一直讓她歡喜，就是妳最大的功能。」

志工心想：到底是什麼樣的病人呢？於是就過去關心，這是開刀後第二天的事。志工進去病房時，老太太已經清醒，精神看起來很好。她看到我們的志工就問：「我什麼時候能夠出院？」志工說：「阿嬤，您著急什麼呢？」她說：「我很想回去種菜。」可見她平常很勤於活動，這也是快速恢復的原因之一。

我聽志工提起這個阿嬤，到醫院時就去看看她。那天，她的三個兒子、三個媳婦，還有女兒都圍繞在床邊。我看了說：「哇！真是一個很好的大家庭。」

我走近床邊，對老太太說：「妳真好命，是不是真的很開心？」她說：

「是啊！很開心。」我說：「妳看起來不像開完刀的病人。」「哎唷！是你的醫生很棒。」我說：「妳也很勇敢。」她聽了，笑得很開心。

我問：「妳什麼時候要回去種菜？」阿嬤回答：「你怎麼知道？」我說：「我聽說妳急著要出院回去種菜，妳會種什麼菜呢？」她就唸一些菜名給我聽。

我說：「這個季節要種的是什麼？」

「絲瓜。」

我說：「不對哦！絲瓜是在夏天採收的，怎麼冬天在種絲瓜？」

她又跟我說：「夏天收，現在不種的話，絲瓜怎麼長得出藤蔓來呢？」說得也頗有道理。

我又問：「妳有幾個孩子？」她說：「八個。」我問：「連女兒共八個？」她說：「不是，兒子八個。」我問：「沒有女兒嗎？」她說：「有啊！三個。」我笑說：「妳實在『大小心』（臺語「偏心」之意）問妳有幾個孩子，怎麼只說兒子？」她說：「兒子才是我的孩子，他們娶媳婦進來，女兒是嫁出去的。」站在床邊的女兒撒嬌地說：「這樣不公平。」大家都笑成一堆。我說：「女兒也是妳生的，這樣總共幾個？」「十一個。」真是好可愛的一位老菩薩。

另外一位是八十六歲，兩個人的「開心」手術都很成功。如果我們沒有建這間醫院，這些老人、急難病患哪有得救的機會呢？生命功能的確需要醫療工程。人生什麼最有價值？就是生命！如果沒有生命，人生還有什麼價值可言呢？

慈濟就是抱持尊重生命的理念而建醫院，甚至四大志業，八大腳印無一不是為了落實這分理念，因此，不論是多麼艱鉅的任務，我們還是要堅持尊重生命的信念，全力以赴。

少年菩薩

一個人若有堅忍的毅力，做任何事都比較容易成功；病人也是一樣，若有堅強的耐力和毅力，就可以克服身體的病痛而延續生命。

有一年的冬令發放，慈濟大甲聯絡處設宴邀請照顧戶提前來圍爐。那天，吃年夜飯時，突然間有人喊說：「他的手臂裂開了！」原來有個孩子的手臂上，長了一顆比大腿還大的腫瘤，它破裂後流了很多血和膿。大家看了都很驚慌，一時不知該怎麼辦。

這個孩子帶著微笑，很鎮定地跟大家說：「你們不要怕，給我衛生紙就好。」有人趕快拿來一大疊衛生紙。他接過後，不慌不忙地將那疊衛生紙往手臂蓋著按住。大家看到這個不到十歲的孩子那麼勇敢，心裡都很感動。

後來，大甲委員把這個孩子送來慈濟醫院接受治療。我還記得每次去醫院看他時，他的臉上始終帶著微笑，是一個非常純真、可愛的小男孩。有一次我問他：「手還痛不痛？」他還是微笑著跟我說：「不痛，要痛就讓它痛！」十分灑脫。

有一天，志工告訴我，這個孩子患的是惡性腫瘤，必須截肢。我就到病房問他：「醫師怎麼說？」他面不改色地說：「醫師說要截肢。」我說：「那你呢？你想怎麼辦？」他笑而不答，我就說：「那已經是有病的手，不是你的了。截肢就截肢，勇敢一點嘛！好不好？」他還是笑而不答。

我問他：「截肢之後，要活出很有意義的生命。你要不要發願？」旁邊的師姑也鼓勵他：「趕快發願，將來健康之後要做什麼？」他就發願：「我假如好起來的話，要當會員。」

我半開玩笑地逗著他說：「你的志氣這麼小啊！將來只要當一個會員而已？」另一位師姑就在旁邊說：「發願當委員嘛！」他就鼓起勇氣說：「對！假如好起來的話，我要當委員，還要當志工。」我說：「一言為定。將來不要忘掉要當委員，還要當志工，而且要永永久久的哦！」

他截肢之後，還是常常看到他面帶微笑，很勇敢地穿梭在每個病房裡。那段時間，他啓發了不少人，有的青少年不愛惜自己，騎車發生車禍，受了傷需要做復健，復健時非常辛苦，他就去為他們加油鼓勵。

後來小男孩出院回家了，不過，仍需定期到附近的臺中榮總複診做化療，每一次做化療都是他自己去看醫師、接受治療。誰能陪他？沒有人。因為他的爸爸身體不好，阿嬤年老了，沒有人能陪他。

現在他已就讀國三，而且開始要當見習委員了。有一次我去臺中，一位委員就拿他的勸募簿給我看，他已經勸募了四十幾户。他將簿子交給師姑時還說：「您拿去給師公看過後，趕快拿回來，我還要再去收款。」他的會員有老師、同學，還有醫師、護士，他是真的當委員了。

雖然，他的病況起起伏伏，卻從沒有看過他躺著不起來，而是到處跑、很勇敢地面對人群，這就是他的堅強與毅力。在幾次的生死關頭時，他仍面帶微笑，非常樂觀，所以都能轉危為安。在他的心中，不但沒有怨恨，也不會自卑，而且功課很不錯，並沒有因為生病而荒廢了學業，這分堅強的生命韌力，的確是令人佩服！

從這個例子，我們可以知道：人生的成長，不一定要在優渥的環境；有時候，愈是艱難的環境，愈可以鍛鍊出有毅力、耐力的美好人生。

意外的收穫

有一對夫妻新婚沒幾天就發生車禍；新郎傷得非常嚴重，腿骨都碎掉了，將來必須裝義肢。

有一天我去醫院看他時，醫生正在為他換藥。我問他：「換藥會痛嗎？」他忍著痛、笑說：「師父說過，把痛苦轉成痛快的感受，一下子就過去了；假如把痛當作是苦，那就很難熬了。遭遇這次變故，我才對人生有了一番深刻的體悟——什麼事情要來，自己沒辦法預料。有時轉眼之間，意外的傷害就造成了。」

我告訴他：「這就叫做無常啊！不過，只要你的心不殘缺，將來身體康復時，可以把經驗告訴其他的病人，這就是『現身說法』；這種鼓勵會比我說的更有力，因為受傷的人心裡當然是苦不堪言，我若叫他們看開些，他們或許會想：師父無法體會箇中之苦，說的是風涼話！所以，力量不大。但你是過來人，還保有這番勇氣面對現實，甚至回過頭來向他們現身說法，病人的感受就不一樣了。」

人生有「三受」——「苦受、樂受、中受」。現前的境界，我們身處於環境中，內心都會有所感受。像靜坐時，心若是能平靜下來的人，就會覺得身輕心安。若是對不曾靜坐過的人來說，身體也許會感到腰痠背痛。想想：外境是不是由心去感受的呢？

我也常告訴病人：要會利用人生，勇敢地接受現實，不要「心」苦；把痛苦換為痛快，日子會比較好過。有時也跟他們說：「幸好沒有傷到要害。

等過一段時間，調養康復之後，又可以踏出病房，健康地面對社會，發揮自我的力量。若能這樣想，應該會感到很安慰，也很快樂。」

還有一位外傷患者住院，我走到病房門口時，志工先我一步對他說：「師父來看你了。」他很高興，立刻起來坐著。我問他：「你怎麼受傷的？」他說：「我在花蓮空軍機場工作時，不小心被一條銅索打傷。很感激師父，建這麼好的醫院，還有這麼好的醫生。我來兩個禮拜了，都沒感覺到有一點點的痛苦，真的不會痛呢！」

他還告訴我：「我為自己的妻女感到慶幸，還好我只是受一點傷而已，那條大索如果從我頭上打下去，後果不知道會如何？可能我也曾做一些好事，才有幸逃過一劫。這裡的志工都很好，讓我好感動！我發願從現在開始要吃素了。」

我說：「祝福你！這就是人生的一個轉變，但是，最好菸酒都不要沾。」他說：「菸酒早就改掉了，而且我過去比較風流，現在既然發願吃素，也都會改掉。」

這叫做「因禍得福」，他雖然遭受身體的皮肉傷害，卻撿回來一顆完整、純良的心。所以，我常常講：身體的殘缺不算什麼，最怕的是心理的殘障。心理若有殘缺，就會讓自己、家庭和社會產生很多困擾。

還有一位被人殺傷的患者說：「發生這件事情之後，我體悟了不少人生的真理。」他是被一位玩六合彩的朋友殺傷的。他的朋友賭輸了，想向他借錢，他不肯，對方就懷恨而殺他。他說若不是有慈濟醫院，說不定自己這條命就結束了。所以，他萬分感激慈濟。

我說：「事情過去以後，心情就要放開，不要再計較。」他說：「師父，我會原諒他。因為我被插了這兩刀之後，才發現關心我的人有這麼多。」我說：「那這次的受傷也算是值得的。如果能對人禮讓、原諒，便是自己的福德，心寬即是福。」

前面提到的那對新婚夫婦都受了重傷；與他們相撞的車主也受了傷，還好傷勢比較輕。當這位車主要出院時，和我在走廊相遇，我說：「你若有時間，要常來探望他們夫妻倆。人都有感情，而且他們的傷勢不算輕啊！」他說：「我一定會常常回來看他們。很巧，發生車禍之後，才知道大家都是鄉親，我們都住在嘉義。」

人生的業力是很奧祕難測的，因此，當下的每一秒鐘都要好好地把握，身不要造惡業，心不要有雜念。因為心力能指揮身體的動作，心一起念，一舉一動無不是業。

業力傾向有兩種，一是過去生業力的牽引；二是今生業緣的會合，所以，常於瞬間造成悲、歡、離、合的人生劇情，以及人與人之間的恩怨遺憾。

總之，在日常生活中，一切要多小心謹慎！

真正的女強人

人生常常有求不得、不順心的困難，但是，我們是不是就這樣一再地被困難擊倒呢？只要我們提起毅力和信心，一定能產生力量。

有一位婦人，她一出生時，雙腳的關節就跟平常人不一樣。由於家境貧困，無法讓她就醫，因此，從小走起路來很不好看，而且還會酸痛。

長大後，她跟其他的女孩一樣結婚了，夫家的環境和娘家差不多。還好這個女孩非常堅強，能夠安於刻苦耐勞的生活，但是因長期操勞家事，她的病症已經嚴重到連站立都很困難。

後來家人把她送來慈濟醫院，骨科醫師發現她這種病症很難醫治。不過，我們的骨科主任仍為她動手術，用最尖端的技術，把她的關節調整過來，這項技術同時也成為國際性醫療的新例。

我去看她時，她臉上掛滿了笑容。雖然腳被吊在空中，而且歷經了十幾個小時的手術，但是她看來卻是一副若無其事的樣子，還會幽默地開玩笑，真是個樂觀的好病人。

醫師對我說：「雖然這種病症我不曾做過，屬嘗試性的，不過我對她很有信心。」果然每次去看她，進步的速度都很快。看到她能站起來，我心裡真的很高興！因為可預知她這輩子的痛苦，將完全解脫了。她在醫院差不多住了三、四個月，跟裡面的病人、醫生、護士都打成了一片，終於快快樂樂地出院了。

隔了一段時間，有一天我去醫院時，卻聽到她自殺的消息，當時正在急救中。她脫離危險後，我到病房看她，一看到我，她就拉著我的手叫著：「師父！」然後就哭了起來。我拍拍她肩膀，故意說她：「妳怎麼這麼傻！早知道妳要自殺，那時候大家就不救妳，讓這麼多人花那麼長的時間照顧妳。妳為什麼要自殺？」

她說：「我被婆婆罵，一時想不開才自殺。」我說：「婆婆責備妳是因為她關心妳，這樣做是很不孝的行為。妳要好好地活下去，不要那麼傻，活一天就有一天的生命價值；否則妳花那麼長的時間開刀，白白地痛了幾個月，不都白費了嗎？」

幾天之後我再去看她時，問：「現在妳還會想自殺嗎？」她笑著跟我說：「師父！我會活得很快樂給您看，我有信心、勇氣要活得很快樂！」

那年過年，她特地來讓我看看，說：「師父！我現在走起路來很平穩、很好看喔！更歡喜的是，現在都不用拿枴杖就可以走到郵局再回家。」她看起來很高興，也很快樂。

這位婦人真的是很難得，她的遭遇如果是發生在個性比較軟弱的人身上，絕對站不起來。現在她已經不是生活在貧困的環境中，而是生活在很快樂的心靈境界中。

所以，儘管世間有很多困難的事。但是，「一勤天下無難事」，只要願意認真轉動自己的心境，天下絕對沒有困難的事情。

因禍得福

宇宙中的任何一陣風雨過後，不久天氣又會轉為明朗；人的身體若遇到意外，可能會終身遺憾，無法復原。

慈濟醫院曾有一件案例：有一年的勞動節，有位擔任火車駕駛員的父親原本要帶小女兒出去玩。他看到女兒的小手髒髒的，就牽著孩子到住家旁邊的小水溝洗手。正當他彎下腰時，突然身後來了一輛轎車，把他們撞個正著。女兒整個人衝飛出去，他則整個骨盆都被撞碎了。據後來得知：那部車的駕駛者，因在前面已撞死了兩個人，心慌想逃，結果又撞傷這對父女。

這位火車司機被送到慈院後，情緒很不穩定，一直沒辦法接受這件事實。他原本是個生龍活虎的人，如今被宣判為殘障者，教他如何接受這件殘酷的事實？像這類的不幸，經常發生在一瞬間。

那位肇事者又怎知在短短的時間裡，會惹上這麼大的禍事——撞死了兩個人，又撞傷了一對父女？死者已無法挽回，而傷者還得忍受一生殘障的痛苦。肇事者雖然身體沒有受傷，但他闖了這麼大的禍，心中的壓力會有多麼苦惱。

身體這個小乾坤，即使今天很平安、很健康，也無法擔保往後的幾十年都會如此。像這位中年的火車司機，幾十年來，他生龍活虎地駕駛火車，一天之中不知往返地載送多少乘客，從起點至目的地。誰會料到在一剎那間，卻被一輛小小的轎車摧毀了他一生的功能。

當他正在發揮功能時，也許不會很珍惜自己的功能，也不一定會很重視自己的健康。如今想再回復兩腳的功能，自由站起來行動，已經是不可能了。可見，我們這個身體的小乾坤多麼危脆，這就是佛陀所說的「無常」。

大乾坤裡，不管多大的風雨，過後便能再恢復晴朗。即使是被颱風吹倒的大樹，只要將它扶正，依然可以存活下來；而被淹沒的田園，今年廢耕了，明年照樣可以復耕。而人的身體，這個小乾坤壽命並不長，只有短短幾十年，雖有無盡的慧命，但是若捨了這一生，就得等待未定的來生了。

身體必須依靠無盡的「慧命」來維繫，慧命就像是我們生命中的「能源」，是生生世世源源不斷的；捨了今生，一樣會承續到下一生，所以，我們要好好培養自己的慧命。

那位不幸受傷的先生，雖然今生要使身體回復已經無望，但是如果能在病中，好好體會人生的道理，仍可擁有殘而不廢的良能——用口說好話和用手去做好事，能現身說法鼓勵類似遭遇的病人，這也是累功積德，而且可以培養自己的慧命，同時也能啓發他人。

若是沒有這番遭遇，也許很多道理他都不曾深入思考，每天就是吃飯、休息、工作。因為受傷，而能體會志工們告訴他的種種道理，這就是慧命的「靜養」。儘管身體殘障了，調適之後，相信他仍會有一段美好的人生。

由醫院看人生

在醫院中，常可以看到種種的人生百態，覺得人生實在由不得我們虛度光陰、浪費生命。

有一位阿婆，復健師在她面前放了一面鏡子，復健師叫喚她：「阿婆，抬頭看看鏡子！」但是，阿婆一直垂著頭，軟弱得抬不起來，臉上有著極其無奈的表情。

我問復健師：「阿婆的家屬呢？」復健師說：「不曾看見她的家屬來過。」對這位阿婆，我心裡萬分的悲憫，恨不得伸手擁她的肩、拉她的手，讓她往前走。但是，她的雙腳早已失去功能，如何讓她跨步向前呢？

阿婆年輕時，不知歷經多少辛苦？經歷多少風霜歲月？年老了，卻無子女在身旁照顧她，又病得全身動彈不得，難怪她心裡悲憤交集，看她的表情，真是令人心酸。

在漫長的復健歲月中，有的病人很消極；有的病人卻很堅強。其中有一位極力想復健的年輕人，長相一表人才，讓人一見就知道他原本是位優秀的青年。但是，現在他正在學習如何移動自己的身體。

聽說他以前從事電機工作，有一次到一處工地裝修電器時，不小心被掉落下來的模板壓斷了脊椎神經。如今，他的雙腳想恢復自由走動的功能已經非常困難；但是，他對自己仍有很大的期待和信心。

復健室的一角設有兩根扶手鐵架，只見他非常吃力地用雙手撐住，才能把下半身甩向前。在練習時，不但汗珠比雨滴還大，而且汗如雨下，但是他的臉上仍展露著笑容。

他說，因為看到復健室裡有許多病人，不只雙腳無法移動，連兩隻手也無法活動。反觀自己的雙手還能支撐全身，這已經值得慶幸了！看他以這種方式苦練，實在為他心疼極了。

我告訴他：「休息一下吧！」他說：「我還可以再走一趟。」他「甩」過去又「甩」回來，雙手已開始發抖，全身也在發抖，但是依然面帶笑容，毫無怨尤，這分毅力和勇氣，很令人感動。

在嬰兒加護病房內，看到保溫箱裡的早產兒，皮膚顏色呈暗紅色，身體大約只有成人的手掌那麼大，全身連著各種管子；他們的生命力就像插在身上的管子那麼細，好像一不小心就會斷掉似的，十分脆弱。父母為了保護嬰兒，必須忍受多少掙扎、煎熬。

另外，在待產室，我看到一位年輕的媽媽，雙手捧著自己的肚子臉上有極痛的表情，旁邊先生和婆婆扶著她，要她往前走，但是她卻痛得寸步難行。我鼓勵她說：「這是好事哦！妳的小寶寶就要出世了，要放輕鬆。」她雖然努力地展露笑容，卻看得出她非常痛苦，這是新生命要降臨的前奏，媽媽要付出多大的代價，但孩子生下後，將來人生的方向會如何？沒有人能預知。

嬰兒加護病房裡還有一位胖娃娃，臉像十五的滿月，圓滾滾白胖胖地，可惜她是個小植物人！這嬰兒才六個多月，聽說出生三個月時，發高燒傷到腦部而成為植物人。胖妞的媽媽深具偉大的母愛，原本她是位教師，為了照顧女兒就把工作辭掉，全心全意地照顧孩子。

這世間，有著這麼多種不同的人生。所以，當我們有健康的身體、活躍的生命力時，更應好好及時發揮生命的良能，才不會讓人生空過了。

生命與慧命的泉源

人生百態，有的人雖然身體健康，可是心理卻充滿矛盾、煩惱，有很多不健康的心態，這叫做「心病」；有的人很樂觀，可是身體卻時時有病。這「身、心」二病，就是人生的缺憾。

有一位女病患，心理很健康。儘管以現在的醫學技術還沒有什麼方法可以減輕她的病情，可是她談起自己的病況時，卻好像在談論別人的病一樣，很輕鬆自在。

她還很年輕，才三十多歲，可是在十多年前得了一種很奇怪的病。十幾年來，她在生死門進出了好幾次，但是每一次都有心理準備，一點也不驚惶。

最近她因為血糖增高，又再度住院。我去探視她時，她講得很輕鬆，好像事情不是發生在她身上。甚至她還說：「兩三天前，醫師幫我試藥，試完後跟照顧我的護士說——這試藥打下去很危險，絕對不能睡著，說不定一睡，就永遠起不來了。記得！妳要一直拍她的臉，不要讓她睡著了。」

因為這位患者也是位護士，所以她的主治醫師有時會跟她聊天，鼓勵他：「妳應該發願！如果身體好起來了，可隨我到山地鄉服務、做研究工作，造福偏遠地區的人們。不過，妳要先學好山地話或日本話，才能與原住民溝通。」當時她正處在危險期，為了度過這危險期，她堅持不睡覺，就一直跟同病房的山地阿婆聊天。

那位阿婆全身病痛，不斷地呻吟。她就找阿婆一起唱歌，請阿婆教她山地話。原本阿婆因為沒有人來照顧她，益發覺得孤單、病痛難熬；因為她找阿婆講話，竟讓阿婆忘了病痛，而她本身也從交談中學了幾句山地話。

讓我更感動的是：她在病中，因為血糖值過高，導致眼中的血管破裂，視神經受到影響，看東西時，會有兩個影像重疊，看字也是一樣，但是，她居然還能寫作。我問她：「妳今天覺得眼睛如何？」她說：「師父，我兩三天前就開始在寫文章了。」說完，她趕緊從床櫃的抽屜裡拿出還未完成的稿子給我看，說：「我現在看字雖然還會重疊，但是我很用心地寫。」我一看，字體還很清秀，文章也寫得很好，寫的是她生病的心路歷程。

這兩三天來，她的血糖值仍然很高，稍微用藥就高起來。甚至試用了一種藥後，口腔內長出好多水泡，水泡破了，就會潰爛疼痛！後來醫師用治癌的止痛藥讓她含著，以減輕她的疼痛，讓她可以開口說話。當她和我說話時仍含著藥，對口腔的疼痛好像也不當一回事。

儘管她幾次進出生死關頭，但是都靠內心的毅力而被救回來，她的心理實在很健康，所以不論醫學如何發達，最重要的還是要靠自己。我看過有些人身體只有三分病，心理卻有七分病；他們動不動就說自己生病了，自己詛咒自己是病人，像這樣的人是「心身俱病」。

人生要活得健康，最重要的是心理要健康，心理健康，人生才會幸福。學佛，就是要學得真正健康的人生，而堅強的意志力是支持我們生命和慧命的泉源。

身病心不病

在醫院中，我們可以看到許多無奈的病苦人生。失去健康的人，多麼苦啊！因此，我們要好好善用健康的身體，這是人生的一大享受。

有一次我去醫院探視病患，一位志工跑來告訴我：「師父，您能不能去看一位病患？他很希望能見到您。」我問：「他患了什麼病？情況怎樣？」她說：「是尿毒症，心情很沮喪，不肯和醫生合作。」我說：「好，等一下就去看他。」

那時，我想起前幾天有位慈誠隊員到靜思堂幫忙時，突然胃出血住院，我想先去看看他，便請護士帶路。她說：「這位師兄在這裡幫了我們很多忙耶！」

我說：「他身體不好，怎麼還能幫你們的忙呢？」護士說：「昨天有一位酒精中毒的患者進來時，吵鬧得很厲害，還好這位師兄很有耐心，一直不厭其煩地輔導他，讓我們減少了許多麻煩，的確幫了我們很大的忙。」

我走進病房時，看到這位慈誠菩薩坐在對面床的患者身邊，正輕聲地和他講話。我問：「他哪裡不舒服？」他說：「沒什麼，他只是患了重感冒。」我知道他是為了顧全對方的面子、讓對方安心才故意這麼說，難怪對方會服服貼貼地聽他的話。雖然這位慈誠菩薩也有病在身，但是他和平常一樣也在病房當志工，這就是——身病心不病的人生典範。

他說：「師父，很抱歉讓您擔心了！我這是老毛病，不巧在這裡發病。我們的醫院很好，我住一天就好了；現在只需調養，今天就要辦出院了。」

他雖然胃出血住院，當有患者需要他時，他立刻把握機會當志工，這就是善於應用人生的使用權。我很為他歡喜，也很感動。

一走出病房，有位護士小姐又走過來說：「上人，您能不能再去看一位患者？」我說：「是怎樣的病患呢？」護士小姐說：「是一位癌症末期的患者，昨晚她做了一個夢，醒來之後一直放不下，情緒很不穩定，請上人去看看她吧！」

我走到她的病房時，看到醫師正在開導她，也看得出她還是很惶恐、心情很不安。我就告訴她：「生病是很自然的現象，不過身病了，心不要也跟著病。快樂是過一天，痛苦、惶恐也是過一天，妳應該把身體的病交給醫生，把心裡的病交給佛菩薩，要有虔誠的信念呀！」此時，她的眼神已經比較安定，臉上也露出一絲笑容說：「師父，我知道了，我會多念佛。」

癌症到了痛苦的末期，要她不害怕談何容易！生死問題是很讓人恐懼的，但遇到了又能怎麼樣呢？總是要先安心。然而要安心容易嗎？人生有很多無奈，身體雖然是自己的，但是生病時卻由不得自己。平常很多人都會說：「看開吧！放下吧！」對別人說很容易，可是有朝一日若輪到自己呢？

後來我又去看志工講的那位罹患尿毒症的患者。他還患了氣喘、咳嗽不休，又有糖尿病。他不平地說：「我平常並不愛吃糖，為何會得糖尿病呢？」我安慰他：「糖尿病不是愛吃糖的人才會罹患，平時的生活飲食都要注意！你的氣色很好，別操心了。」

人生事事難料，身體健康時，若不好好把握時間、發揮使用權，等到想做卻使不出力時，那就悔之莫及了。「病」並非專屬於老人，不論是少年、中年或老年都應抱著好好應用時間的心態，發揮每一天的使用權，不可蹉跎時日。

普賢菩薩警策文云：「是日已過，命亦隨減，如少水魚，斯有何樂？當勤精進，如救頭然，但念無常，慎勿放逸。」一天過去了，生命就減少一天。所以，大家要自我警惕、及時精進，今天犯了什麼過錯，要趕緊懺悔、改過自新；就像頭髮著火時，要趕緊滅火才能自救啊！

落難小天使

慈濟醫院的三樓病房都是婦科、小兒科的患者。有一次我經過走廊時，聽到護士在叫一個熟悉的名字——「男男」，我問：「男男又來住院啦？」然後就順便進去看他。

這個孩子患了「肌肉萎縮症」，出入醫院很多次了，一住院就是好幾個月，已被病魔折磨得不成人形。現在連腦部也受到影響，經常會抽筋。當時他臉上罩著氧氣罩，我摸摸他的頭，發現他滿頭冷汗，全身也濕淋淋的，真是可憐！

再走到別的病房，聽到護士說：「瑋瑋在這裡。」這名字也很熟悉。原來不久前，這個一歲多的孩子正在學走路，沒想到媽媽手一放，他就跑到外面，結果被一部轎車輾過。當他被送來醫院時，已經沒有呼吸，經過急救才勉強保住性命，然後住進加護病房。月初我曾去看這個孩子，看到原本白胖、可愛的孩子，如今卻躺在病床上像個小植物人，連哭都無法出聲，因為頸部做了氣切，看了好心疼！

那時，醫生到病房為我說明孩子的情形，孩子的眼睛很亮，會流淚但沒有哭聲。醫生說：「這孩子要恢復的機會很渺茫，因為他不能自己呼吸，脊椎又受傷，全身都不會動了。」我拉起他的小手，發覺他的左手好像稍微能動，醫生說：「只有這一小部分而已。」

我問：「他有感覺嗎？」醫生說：「好像沒有意識。」我再問：「難道沒有別的辦法了嗎？」醫生說：「他的脊椎和韌帶都斷了，若有奇蹟，大概也要一千個日子，才有可能長好神經和韌帶。」

一千個日子，算算也要三年多！這孩子要躺在床上三年多，之後是不是可以恢復意識？四肢可否健全？是否能自己呼吸？真的還很難預料。

過了不久，我又去看他，進入病房時，媽媽和孩子都睡得很甜；我摸摸孩子的臉，他醒來、哭了，不過聲音很微弱。護士說：「他可以叫媽媽了！只要把氣切的部位蓋住，他就會叫媽媽。」他的手腳不但能動，而且還蠻有力的，前後才十八天；他恢復的情況竟如此神速，突破了醫學上的紀錄。媽媽抱著他時，他的手腳一直舞動著，模樣真的很可愛；生命真是不可思議，他終於奇蹟似地恢復了。

生命雖然很寶貴，但是看到男男每次住院時那麼痛苦，大家不免會想：如果能早日解脫，或許對他反而比較好過吧！但是，「業未盡就走不掉」。而瑋瑋卻有這分福報，能突破醫學上的瓶頸，提前一千個日子恢復了。

人生，能健康、自由地活動是最有福的。像那位一歲多的小瑋瑋，只因一時跑出去就遭到橫禍；還好這個小生命卻很強韌，原本被醫生宣布是最小的植物人，竟然能再恢復功能，真是不可思議！

可見，人的業力未盡時，想死都死不了；而業輕福大時，即使在生死邊緣，也能夠安然地恢復，再度擁有健康和人生的使用權。人生，只要今天還擁有健康，就要好好把握，因為人生無常，在無常中要使用永恆的權利，就要把握分秒去付出。

返璞歸真

一般人若不是身有病，便是執著「心」的病，對這樣不順意、對那樣不滿足，時時都在計較，這就是心病。對人起疑、不高興，沒有辦法發出一分純純的和善慈愛，這也是心病。

尤其有些人很愛身體，常常一頭痛就想：不知道會不會是生腦瘤？若是胃痛，就連想到：我是不是得了胃癌？哪個部位不舒服，他就往壞的方面想。

也有很多人跟我說：「師父，為什麼我全身都是病呢？」我說：「你有病就要去看醫生。」他說：「我看過了，醫生都說我沒病啊！」醫生說沒病，他卻時時都覺得有病，這就是心病。我們若能透徹了解身心的道理，一切病苦就能放下了。

佛陀曾說：「凡所有相，皆是虛妄。」只要是有形象的都不是實在的東西，因為它終究會改變，哪有什麼是真的呢？所以說，執著身心是人生的苦事。那麼修行要修什麼呢？修一個「性」字，也就是回復我們純真的心性。

還沒有受到後天的污染時，很容易學好。什麼叫做「後天」？是指世間的形形色色，人與事會污染我們的心。譬如一個小孩子，若是出世在臺灣較鄉下的地方，他開始會學叫「阿爸、阿母」，這是「父親、母親」的意思。接著再教育他，他很快就會學著說話，這就是後天的培養。

人一生下來，就被後天的環境所熏染而存有一些習氣。在不同的環境中生活，就會有不一樣的習氣和觀念。我常常說：「習氣不同，各如其面。」就如每個人都有兩個眼睛、一個鼻子、一張嘴巴、兩個耳朵、一對眉毛，但是擺在各人的臉上，模樣就是不同。除非是雙胞胎，不過，他們的父母也都能認出這是姊姊、這是妹妹，可見他們也有不同的特徵。不過，我們有一樣相同的東西——清淨的本性，也就是「人之初，性本善」。

這個善性是什麼呢？就是原來的佛性。本性是最透徹、最清淨，永遠都不會變的。我們的身體有生死的變化，但是捨了這個身體以後，業識可以去找其它的緣，再繼續另一段的生命。

所以，人生應該要看開這個身體；世間有很多的苦難，都是因為有這個身體，才會感受到。等到一口氣嚥下去，此生就「了」了。

在臺灣，有些地方還有「哭路口」的習俗；也就是已出嫁的女兒回家奔喪時，從遠遠的門外就跪下來開始哭，一面哭、一面跪著爬進家裡，然後不斷搖著往生者的身體……。

那好像是要表達：「做女兒的就是這麼孝順，所以一路哭著回來。」其實，這些對亡者而言並不重要了，應該在父母仍健在的時候，就要好好孝順他們，這才是真正的孝道！因為當亡者嚥下最後一口氣時，親屬的哭叫、哀慟，對亡者一點也沒有幫助；不如虔誠念佛，既可以培養生者的道心，也能夠安慰往生者的神識。

所以，學佛最要緊的是要去除後天的習氣，回歸清淨的本性，並培養「人人我都愛；人人我都相信；人人我都能夠原諒」的心胸，與人結好緣，才能夠逐步成就我們的志業。

人生無常，免不了生、老、病、死，過了一天，表示我們的生命已減少一天。因此，我們不能讓時日空過，而要好好把握每一個學習的機會。

尋找一顆芥菜子

人與人之間一定要互相尊重，才能有和睦、幸福、健康的人生。我常說要「尊重生命」，除了人與人之間彼此的尊重之外，也要培養大愛之心，去愛一切的小生命，這也是尊重生命。

平常人所愛的都是自己身邊的人或是與自己有關係的人，這是凡夫之愛。佛陀教我們要展開心胸，愛大地一切眾生。但是，談何容易呢？因為只愛自己的骨肉和親人，是凡夫所貪愛、執著的習氣。

佛經裡有一則故事：有一位叫吉利舍的女子，生長在一個貧困的家庭，雖然他們以前也是望族，但是後來慢慢衰敗下去，家財散失，以致生活非常貧困。

由於她長得很漂亮，當時有一位富家少年很喜歡她，便要求父母讓他娶吉利舍為妻。她結婚時，因家裡很貧困，所以沒有嫁粧，為此夫家的人，甚至連女傭都很嫌棄她；雖然她嫁到富有人家當少奶奶，但是地位卻很卑微。

過了一陣子，她懷孕了，很期待能生個男嬰；要不然她的地位就不能提升。後來終於不負她的祈禱，如願生下一個男嬰，她也因而受到全家人的重視和傭人的敬重。此後，她過了一段很幸福的日子。

可是好景不長，孩子在週歲時忽然得了急病往生了，吉利舍傷心欲絕，發狂似地抱著愛子到處祈求別人救救她的兒子。有人告訴她：「除了佛陀之外，沒有人能救得了妳的孩子。」於是她就跑到精舍，激動地請求佛陀救她的兒子。佛陀很慈悲地告訴她：「妳先把心靜下來，我教妳救兒子的方法。」她一聽有方法，真的就靜下心，很專注地聽佛陀開示。

佛陀說：「妳去問問看是否有不曾死過人的家庭，然後向他們要一粒芥菜子，妳的兒子就能得救了。」她想：要一粒芥菜子，很簡單啊！於是就滿懷著希望，挨家挨户去問，可是雖然每家都有芥菜子，卻每個家庭都有祖先，沒有一家不曾死過人的。

她很失望地回到佛陀的面前說：「佛陀，要芥菜子很容易，但是找不到沒死過人的家庭啊！」佛陀緩緩地說：「是的，人有生就有死，萬般皆求不得；妳和兒子的緣就是這樣而已，何必強求呢？」

聽了佛陀語重心長的一番開示後，她終於真正把心定下來，並且了解到人生有很多「求不得」之苦，也有難以消除的業力，所以她看開了，便請求佛陀允許她出家修行，後來在比丘尼團中，是「精進第一」的修行者。

生命的存在與否，強求不得，存在時要愛惜，留不住時就得放下，這是生命的自然過程。因此，人與人之間要互相愛護、珍惜緣分，不只是對人，對所有的生命也要愛護，才會有幸福的人生。

灑脫的人生

人一生病，除了身體上的痛苦之外，還會有心靈上的恐懼。因為病沒有醫好，接著就是面臨一個「死」字，一般人都不太敢說，就是因為有恐懼感。

記得一、二十年前我開始講經時就說過：「世間事除了生死之外，什麼都可以不必學。」當時就有人說：「怎麼這麼奇怪？人家都說什麼事都要學，死不必學。偏偏證嚴法師卻告訴大家：什麼事都可以不必學，死一定要學。」

是的，死必須要學，因為怎麼來世間的？多數人都不知道，一開始就迷，一生就會迷下去。所以我們要趕快探討死的問題，知道如何死得很快樂、很瀟灑，這也就是佛教所說的解脫、自在。如果面對死能解脫、自在，來生的境界就會很明朗。所以說，「死生」、「生死」是我們真正要探討的，一味地逃避是不智的行為，倒不如真正面對現實。

我看過一本日本教授所寫的書，書名可以譯成「生死自在」，裡面有一篇文章很有意思，臺灣也曾經有過類似的案例，我先說這位教授所寫的個案。

有一位九十一歲的老太太，人很樂觀、幽默，她一共生了十一個孩子，兒孫滿堂，算是很好命。老太太後來生了一場重病，在呈現彌留狀態時，她的兒子請來一位牧師為她做彌撒。

那位牧師認為老太太還在彌留狀態中，應該還有意識，就對她說：「妳現在要以虔誠的心做彌撒。」然後就開始為老太太唱聖歌、祈禱。過了沒多久，老太太竟然坐了起來，對牧師說：「謝謝你在這個時候為我祈禱，現在我有一件事想請你們配合。」

什麼事呢？她說：「我要喝威士忌。」她的子女本來都處在哀傷的氣氛中，聽到母親要求給她一杯威士忌，就趕緊去倒了一杯酒給母親。老太太喝了一口，又說：「這酒很辛辣，再幫我加幾塊冰塊，這樣喝起來比較清涼。」她的孩子又趕快去拿冰塊為她加進去。

老太太喝完說：「好舒服，很好喝！」之後又對兒子說：「點一支菸給我吧！」她的兒子就說：「醫生說妳不能抽菸，也不能喝酒。」她對兒子說：「死的不是醫師，是我。」她兒子只好點一支菸給她，她抽得很陶醉的樣子。

抽完菸，老太太對牧師說：「謝謝你為我祈禱，我現在要去天國了，再見，謝謝你！」然後眼睛閉上，安詳地長眠了！本來家人陷在一片很哀愁的氣氛中，她竟又醒來，向子孫幽默了一下，掃除原本悲愁的氣氛。

所以，在老太太往生之後，這個家庭裡的每個成員都說：「我們要學媽媽。」或是說：「要學奶奶，這麼灑脫來去自如。」

十幾年前，也曾在報紙上看到這麼一則報導：有一位七十多歲的老太太往生，家人在為她辦後事時，老太太突然醒來說：「你們在做什麼？」他們很訝異地說：「奶奶，妳怎麼又醒了？」

老太太說：「我的檳榔還沒有吃完。」她的家人就去拿檳榔給她吃，老太太吃完檳榔後，很滿意地說：「我甘願了，我要走了，再見！」這也是很灑脫的人生。

總之，我們要將「死」看得很樂觀，不悲愁、不惶恐。反正人生本來就是要走這一趟，只要是自然生、自然死，就應該要很自在、很灑脫。而且除了自己走得很歡喜之外，還要能帶給家人一股很安詳的氣氛。

徹悟生命的真諦

世間千差萬別的人生，無不是為了此身而煩惱。身體接觸外境後，便由心起分別和煩惱，再支配身體去造作種種行動，若行為稍有不慎，最後的結果便是煩惱。所以，我們要時時調心，注意自己的行動。

人都有一個通病，也是共同的煩惱，就是「死」。談到死，大家都很害怕，說到「病」也一樣。但也有人能超越凡夫的心境，從死的恐懼與煩惱中解脫出來。他們體悟到死亡是人生必經的自然過程，因而不會感到畏懼。

有一件個案，聽起來令人覺得很不可思議。有一位死刑犯，原本滿心煩惱而且造了無法挽救的惡業。但是，他竟然在短短兩年的服刑期間，徹悟了生命的真諦，對生死處之泰然。

在即將被槍斃的前夕，他仍一如往常，把太太帶來的海青穿好，再把布鞋穿上，安靜地念佛，靜靜等著執刑的人帶他出去。

他看到有人來，就自動站起來要跟著走，進來的人告訴他：「不是你，是另一位。」後來又有人進來，他仍是站起來要跟著出去，態度很鎮定安詳，但是對方又告訴他：「不是你，是另外一個人。」

平常人若聽到醫生說：「你患了某種惡疾！」心裡一定會掙扎、煩惱，而他卻能夠安然地準備踏進刑場。這不是已經視死如歸嗎？

人在開始起心動念時，就要及時克制，如此便能消除一場災難。如果起了惡念又未能及時正思反省，身體又接著行動，結果就是惡業的煩惱。

這位死刑犯在獄中看了《三十七助道品講義》後，徹底地悔悟了；以往他並沒有正信的佛教觀念，更談不上拜佛、修行。造業受報後，在獄中有此機緣看到《三十七助道品講義》，即由內心得到真正的解脫。因此在行刑那天，他都穿著海青、手持念珠很安詳地念佛，等待死神的來臨，凡是有人來他就站起來，很主動地要跟著出去，但三番兩次都不是他。由此可見，他能以超脫、安然的心理，走向此生的最終點。

他最後的一念，還是「回歸慈濟」，因為太太帶孩子去看他時，他不斷交代：「妳一定要記得帶孩子到慈濟功德會看師父，我們都是師父的弟子。」但遺憾的是：在他還未造業前，無緣遇到慈濟。

學佛就是要訓練自己在日常生活中，不管看到什麼事情，即使會讓人心中憤憤不平，也要能夠冷靜地接受，心絕對不起衝動的念頭，進而起惑造業，結下惡的果報。

所以說，人之大患就是因為有這個身體；若沒有這個身體，怎會有那麼多煩惱呢？既然我們已來到世間，就應該要好好「藉事修身、藉境練心」，時時都要保持身心平衡。否則想要視死如歸，得到如此超然自在的功夫，有可能嗎？

生死因緣觀

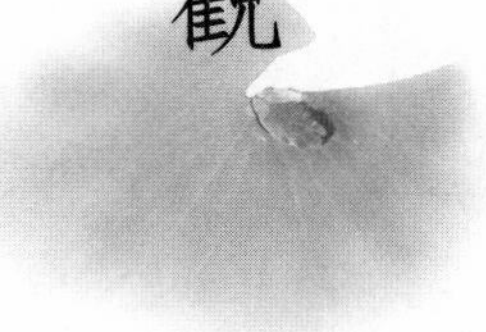

有一次到臺北，我接到一個消息：彰化有位榮董意外往生。他的太太是慈濟委員，家中四代同堂，是個幸福美滿的家庭。不料那天去巡視工地時，一不小心從鷹架上摔下來，不幸往生。聽到這個消息，真是令人難以相信！這麼強壯、善心敦厚的人，為何會遭遇不測？然而，這卻是不幸的事實。

當時，他的家人心中的哀慟，真是難以形容！幸好他們有佛法的力量滋潤支持，有慈濟的大家庭安撫照應，我去探視他的家人時，他的母親哀傷地問道：「我的兒子這麼乖，為何就這樣走了？我真是捨不得啊！他很孝順又有責任……」她一一細述兒子的優點，我安慰她：「母子之緣前生就已定了，無法強求呀！」

她又問：「我兒子做人也很好，為何這分業障逃脫不了？」我說：「業不可轉，但緣可造。」佛陀在世時，他的弟子目犍連不是神通第一嗎？但是，他也無法逃過被石頭壓死的業報。

業如須彌山，障重不可轉；即使是佛陀本身，他也一樣會生病。例如：佛陀有一次走路時，不小心被一根小樹枝插進腳趾，結果受到細菌感染引起發燒，甚至燒到幾近昏迷的程度！更何況是一般人，人生的無常、逆境在所難免，重要的是：我們要能以善解的角度去面對，才能化解痛苦。

有一句話說：「欲知前世因，今生受者是；欲知來世果，今生做者是。」前因種下了，今生必受其報。所以，我常常說：「甘願做，就要歡喜受。」這句話含有深義，包含過去已造之因，今生要歡喜受；更蘊藏著來生的因，即由現在的造作而得，既然造了因，就要歡喜接受業果。

雖然業不可轉，但緣卻可造。如果遇見不投緣的人，能容忍、善解，不和他計較，便能夠轉惡緣為善緣，這就能消業啊！過去生結了惡因，今生不可再結怨，免得來生又得惡果。

我對那位傷心的母親說：「妳不用悲歎了！因為妳和兒子的緣比較淺，這也是共業。他有福業又和你們結了好緣，所以會孝順父母，讓你們的家庭富足無憂。但是，他有世緣短暫的業報，因此突遭意外，剎那間就走了。他可以說沒有受到太大的痛苦，也未連累你們；再者，因為他曾造了好因，所以有慈濟大家庭的師兄姊來關照。」

他被抬送回家時，臉部仍然完好。直到慈誠隊為他換衣服時，他的耳朵才流出血來，一共換了四套，血才停止，他沒有親兄弟，這些師兄弟卻比親兄弟還要親！

他的母親一直說：「非常感恩大家！」我說：「這是他平時做好事結來的緣，才有這麼多人來關心幫忙。所以說緣可造，業卻不能轉。如果他平時沒有結好緣，事故發生後，可能就陷於一片冷清清、無處求援的境況。」由於有慈濟大家庭的扶持、關懷，他的家人很快就振作了起來。

人生的業力不可轉，但是緣可造，我們一定要廣結善緣。今生做的來生受；今生受的是過去生所造，所以要甘願做，歡喜受。而現在更應「甘願做」，未來才能得「歡喜果」。大家時時要多用心，遇事要以歡喜心去承受，如此即能消業得大自在。

夢幻人生

有人向我提起夢境時，我都會回答：「夢境本來就是虛幻的。」不過，虛幻的夢境有時也很有趣。

有一天清晨快敲板前，我做了一個夢。夢境裡，我看到一團光圈慢慢由遠而近飄過來，中間好像有個人影似曾相識。她虔誠地向我合掌、頂禮後，做了一個像是「再見」的手勢，然後光圈就慢慢消失了。此時，板聲就隨之響起。

這個夢也是虛幻的，但好像有點特別，當時的心境甚是歡喜，醒後猶覺得喜悅。前一天我聽到有位志工往生，並且已經火化，不知是否因為我想太多，才有這個夢？

這位委員志工的精神很值得我們敬佩。每次輪到他們那一組回來當志工，她一定把握機會回來。她真的很精進，雖然身體不很好，但常想到師父說：「愈不好的破車（身體），愈要用它。如果把它扔在旁邊不用，這輛破車就會愈早報廢。所以，能用時就得多利用。」因此，她即使身體不適，也都把握機會回來當志工。

有一次，她到醫院做健康檢查，發現肺部有個黑影；醫生提醒她要注意，她認為沒什麼而不太在意。後來再一次檢查，患部又變大些，她才掛急診看醫生，診斷結果是末期肺癌，當時癌細胞已轉到心臟，而且肺部已經積水，因為病情危急，她隨即辦理住院。但是，那時有很多護士都去參加高考，許多醫院都暫時關閉病房、開刀房，甚至連門診也控制數量。於是，有位委員建議她回慈濟醫院，她被送來急診時，醫生一看就知道她的心肺積水，馬上為她處理，抽出二千多西西的水。

聽說她在住院期間，雖然戴著氧氣罩，但總是笑臉迎人，沒有一點兒病容。甚至病情較緩和時，她也會去當志工，熱心地向病人談慈濟，現身說法。

我要出門前兩天才知道她住院，就說要去看看她，那天有人告訴她這消息，她很高興地趕快換衣服、洗頭。當我走到她的病房門口時，她看到我就向一位師姊說：「請師父先看看別間的患者。」因為她要把頭髮梳理好再讓我看。

我回頭看到她時，訝異地說：「怎麼是妳？」她說：「我怕師父擔心，所以沒讓您知道。」我說：「妳不像病人嘛！」她說：「對啊！我怎麼可以生病，您不用擔心。」我又問：「妳哪裡不舒服？」她說：「是心肺不太好，不過沒什麼。師父，您不用擔心啦！」

旁邊有人說：「她昨天才動了手術，抽了二千多西西的水。」我說：「妳昨天才剛動手術，今天還這麼勇敢！」她說：「就是要勇敢，要拚才會贏！」她笑得很開心，還安慰我說：「師父，我的身體一向就是這樣，不要緊的。師父很缺人，我會努力跟它拚拚看，拚得過就是我贏；要不然也要快去快回！」她說得很輕鬆，好像在說別人似的。我也很輕鬆地告訴她：「我要出門了，不能再來看妳。」她說：「我本來就不想讓您知道，您不用再來看我了。」就這樣，我去中北部前後大約七天。

行腳回來，因為事忙沒能去看她。第二天黃昏時，聽志工說她已經往生。隔天早上，我去醫院地下室上香，在那兒看到她的兒子。他看起來很平靜，我對他說：「媽媽已經安詳往生，你不要煩憂。」他回答：「我媽媽在這段日子裡有那麼多師姑陪她，過得很開心，看她那麼開心，我心裡很高興，我一定會照媽媽交代的話做。」

我問：「你媽媽交代什麼？」他說：「媽媽要我接慈濟的棒子，為慈濟做事。」我說：「很好啊！兒子接棒，她就可以安心地快去快回。」

志工說：「那天她握著大家的手，面帶笑容向大家說感恩。要嚥下最後一口氣時，她對兒子說：『你要不要聽媽媽的話？』她的兒子說：『媽媽要我做什麼，我一定去做！』她就說：『你去休息，我很累，很想睡覺了。』她兒子說：『好。』她眼睛閉上，就這樣安詳地走了。」

生死事大！人來世間，生時不知如何；走的時候，應該清清楚楚。她有這分慈悲喜捨的心，才能來時簡單、去時安詳，生死自在，希望她能快快再來！

再來做救人的人

「生命在呼吸間」，氣息順暢就是「人生」；一口氣呼出去後若吸不進來，人生就結束了。有的人卻在一口氣中奄奄掙扎，求生不得、求死不能又放不下這口氣，非常辛苦！求生不得就應「放得下」，才能得到解脫自在。

有一次我去慈濟醫院時，一位志工告訴我：「師父，加護病房有一位罹患鼻咽癌末期的先生，已經命在旦夕。他有一個心願，就是很想見師父，希望師父為他皈依。」我就請她帶我過去。

當我們快到加護病房門口時，有一位很年輕的女子守在那兒，人長得十分清秀。志工介紹說：「師父，她就是那位病患的太太，很賢慧。」我們就一同進去。

這位太太的舉止，充分表露出他們夫妻感情深厚。雖然先生已經病得不成人形，但是，太太仍很溫柔地擁著先生的頭，在他耳邊說：「你趕快睜開眼睛看看是誰來了？是師父來看你了！」

患者很吃力地睜開眼睛，眼神好像在說：「我看到了。」然後將臉轉向我這邊。我靠近地說：「你的心願是想看看師父，也想皈依，現在師父就在你面前為你皈依——皈依佛、皈依法、皈依僧。從現在起，你就是三寶弟子，要心中有佛、專心念佛；你要依法為師，佛陀的教法要好好謹記，心要放得下，人事要看得開；要記得發大願、行菩薩道，不論何時，即使是來生都要發願做個『能救人的人』，聽到了嗎？」

他變形的面容展現出笑容，從他的眼神和表情可以看出他能夠歡喜接受。他跟我點點頭——雖然點頭對他而言是很吃力的。我再次叮嚀他：「要記得『放下』！你太太很賢慧，日夜守在加護病房外；你實在很好命。」我問他：「你有沒有小孩？」太太代他回答：「沒有。」我就對他說：「那你內心可以不用掛礙，不必煩惱任何事；只要一心發願，未來要做個會救人的人，這才是三寶弟子——要放得下，身體沒什麼好留戀，最重要的是我們的心要顧好。」他又吃力地點點頭。

我再看看其他的病人後，就離開加護病房，心中默默為他祈禱。他的太太那麼清秀，夫妻感情又那麼好，才三十多歲就得這種病，身心受到這麼痛苦的折磨，真是可憐！

隔天我去醫院開會，在走道遇到一位小姐，那位小姐我曾在加護病房外看過她，她爸爸也在加護病房裡。再遇到她時，我問她：「妳爸爸怎麼樣了？」

她說：「他好多了。但是，昨天師父您去探視的那位先生，在您出去後沒多久，他的手忽然勉力合掌唸了好幾句『阿彌陀佛』。本來他的手根本不能動，唸完後就很安詳地往生了，昨晚已送回臺東。」他終於解脫，也已經「放下」了，他真的是三寶弟子，而且是很聽話的弟子。

我告訴他：「心要放下、無掛礙；要學佛，趕快發願做能救人的人。」他終於念佛安詳而逝，這就是「真用心」。學佛，在平時就要學得放得下、看得開，才能輕安自在，來去自如。

真心的陪伴

在日常生活中，若能將人生看得透徹、看得清楚，不論日後遇到何種境界，心都能夠很安然自在。

有一位年輕太太，是癌症第三期患者，先生陪她去過各大醫院接受治療，但是醫生只給他們一句話：「沒有用了！」所以，他們總是抱著希望住院，又抱著失望出院。後來，這位太太住進慈濟醫院。起初，她每天都會哀叫、喊痛，甚至亂發脾氣，吵得與她同病房的病人都受不了。

在先生百般容忍、耐心呵護，以及醫護人員和志工愛的照顧下，這位太太的情緒終於穩定下來。經過兩、三個月後，一次聖誕節前夕，志工們進去病房時，看到裡面煥然一新，掛著許多裝飾品，有布娃娃、花、鳥……等可愛的小東西。志工們感到很驚訝，她的先生就說：「這是我們兩人愛的作品。」每一件都做得很美，志工問他：「你們怎會想到要做手工？」

先生說：「有一天，太太的妹妹來，看姊姊這麼痛苦就說：是不是做一些小東西來轉移病痛的注意力？」先生聽了，就鼓勵太太試試看。開始時他們做了一個布娃娃，她自己說：「你看，這是四不像。」不過，這是小夫妻倆合作完成的第一件作品。

於是，我們的志工鼓勵她多創作小工藝品，由志工們大愛的付出中，讓她領會到，自己也應該把握機會，學習付出，所以她放下病苦，專心地做了很多小玩偶，參與賑災義賣。這位年輕的太太終於打開內心惶恐的心結，走向清明的菩薩道，對於生命要如何運用以及如何走完這趟人生旅程，她已經有所了悟。因此，精神上能夠很輕鬆、很勇敢地接受這個現實。

這對夫妻真的是很難得，他們的緣結於國中時期，彼此是同學，認識之後，直到男孩子去當兵，兩人一直都有交往。有一天，在金門當兵的他接到女孩的一封信，信上寫著：「我得了腸癌，你最好趕快離開我，再去找個好對象。」

男孩以為她在開玩笑，很調皮地從金門寄了三隻蚊子乾，附於信中說：把這三隻蚊子和水吞服，病就會好了。沒想到竟然是真的；當他知道真相後，就下定決心要照顧她，陪她走完人生路。後來，兩人就結婚了。

婚後，太太的病一直不斷地發作；訪遍名醫，所有的醫生都說：「已經沒有希望了。」但是再怎麼沒希望，這位先生還是陪著太太走在求醫的路上，最後來到慈濟醫院。經由我們的醫護人員和志工的合力輔導、關懷下，這位太太終於無憾地說：「我已經知道要怎麼走了，這段時間，我過得很幸福、很快樂！」

住院期間，他們偶爾也去海邊、山上踏青郊遊。有時休假日，我們的醫生和護士也會陪著他們上山、下海，讓她能沒有遺憾、快快樂樂地走完這段坎坷的人生。

這就是「萬法唯心」。當初她茫茫不安、不知人生最後的路該如何走時，日子過得很痛苦，也很掙扎，每天哭喊、鬧情緒；等到生死矛盾之門打開後，她就能安然地面對生死之路、歡喜接受一切，因此，生活自然可以過得安心自在，而且是沒有遺憾的人生。

生命的勇士

人生有許多的苦，在這麼多苦難之中，以病痛最為痛苦。病至終點即是死亡的邊緣，因此，身體不只受盡病痛的折磨，內心的那分驚慌、不安和煎熬，更是度日如年般的難熬。而有的人比較達觀、能夠接受事實，即能減輕痛苦；無法接受的，就會「苦上加苦」。

有一位慈濟人，雖然罹患肝癌卻很看得開。他想在人生最終的時刻回來慈濟，於是住進心蓮病房。慈濟設立「心蓮病房」的目的就是要為生命到了末端的人做更多的服務，給他們一個很舒服的空間，讓病人在醫師、志工、護士的關懷和輔導之下能「走」得很安然。

這位慈濟人心裡有個願——希望能在此生的最後把身心奉獻出來，作為醫學研究用。因此，不論病痛多麼難熬，他都不願接受電療，也堅持不開刀；他希望在最後的一刻能夠很有尊嚴地離開，再將身軀完整地捐給慈濟醫學院做研究。

我去看他時，他很坦然地告訴我這些話。從他的臉上，看不出有任何一點憂愁、痛苦，好像是一個健康人在描述另一位病人一樣。這種灑脫、輕安的心境，令我十分感動！他的輕安、自在，也熏染了同病房的四位病人。

其中一位坐在椅子上，看起來不像是個病人，但是，鼻子卻裝了氧氣管。他若無其事地與人聊天，我問他：「你來看朋友嗎？」他指著一張空病床說：「我是住在這裡的病人之一。」

他看起來也沒有一點兒煩惱，因為有這位慈濟人住在這裡。他還告訴我：「師父，我還可以做志工。下午，我要帶這間病房的人到樓下曬曬太陽，看看外面的風景。」他本身也在與生命拔河、搏鬥，還能服務其他病人，真是一位勇士！

另外一位坐在輪椅上的老先生，在病房外看到我時，他立刻舉起雙手比出「勝利」的手勢，然後很虔誠地合掌。他也是一位癌症患者，而且已到人生最末時期，但是他臉上仍然帶著笑容，說要去外面逛一逛。還有一位老先生，跑到別間病房與人「鬥嘴鼓」（抬槓聊天），聊得很高興。

當我走出來時，經過病房，剛才那位老先生已經回到自己的床上。那時志工告訴我：「這位老先生很勇敢，他種很多蘭花，還搬了一百多盆來，在這裡繼續照顧。他說要送我們、給病人欣賞。」他一聽到蘭花，整個神情都燦爛起來了，很高興地說：「是啊！種好了就給大家欣賞。」他對兒子說：「你陪師父出去看看我們的蘭花，為師父解說一下，種蘭花也有學問呢！」

空中花園真的已搭起蘭花架，搭得很美，而且有上百盆的蘭花，整理得很好、很漂亮。病人的兒子一一介紹著：「師父，這叫做『報歲蘭』、這是『四季蘭』……」我自己就說：「這個是『素心蘭』，對嗎？」他說：「您怎麼知道呢？」

其實，蘭花看起來都差不多，什麼「四季蘭、報歲蘭」我都分不清，只認得「素心蘭」。所以，只能告訴他：「我知道素心蘭開花時很香。」他說：「是啊！四季蘭開花時也很香。」他又拿一盆到我面前說：「師父，這叫做『牽線蘭』、『金線蘭』，過去有陣子很貴喔！」我說：「是啊！聽說以前兩、三片就好幾百萬。」他說：「現在已經沒那麼貴了。」

這些都是在心蓮病房裡看到的事，一聽到「心蓮病房」，有人就會想：這些人都已走到人生的最終，病房裡應該是一片愁雲慘霧，人人都很驚懼、焦慮的景象。

然而，在慈濟醫院的「心蓮病房」裡，卻處處充滿希望、朝氣和一種喜洋洋的氣氛，因為大家都很樂觀。有一位年輕人，才三十幾歲，也被宣告是末期了。但是他也是滿面光彩，有如一位穿著盔甲的勇士，在戰場上每次都是他戰勝的光榮神態。

我鼓勵他：「你要繼續奮鬥下去，人生要有這分勇氣。」他回答：「我知道，志工曾告訴我杜詩綿院長的故事。」我說：「對啊！那時醫生告訴他只剩三個月的生命。」他接口問我：「後來又過了幾年？」「前後是六年的時間。」他聽了好像很有自信、也很安慰。

生命就在呼吸間，一口氣呼出去還能吸進來，就是生命的存在。但是對某些人來說，要吸一口氣是很不簡單的，尤其是已經在算日、算時、算分、算秒的生命末期之時，這種威脅和煩惱應該是很痛苦的；但是看得開的人，觀念一轉，真的也沒有什麼了。

所以，身體健康時，要好好保護、保養我們的身心。如果生病了，更要顧好這一念心，我們要抬頭挺胸，向生命宣告：絕對不讓畏懼惶恐所束縛，要將人生的「使用權」用得對、用得有價值。生命，來去就任由自然吧！

心蓮病房的李居士

學佛，要學會「自在」——對人生的一切事物自在，更重要的是，對生命也要自在。既然有生，就有老、病、死，這是非常自然的道理。但是，我們往往都是「生」時歡喜，「老」時煩惱；臨「死」時就很惶恐。

生命來到宇宙間，其自然之理就是會由老、病而死。我們何不自然一點，這樣才能過得輕安自在。但是，大家都能琅琅上口說：「看開點、不用怕！」可是，一旦事情發生在自己身上時，不知道還能不能「看開點」？放「自在點」？總是很難吧！不過，如果真正在學佛，要勇敢無懼就比較容易了。

慈濟醫院有一位生命的勇士——李鶴振居士，他和太太一直很用心做慈濟。但是生命無常，不久醫生檢查出他患了胰臟癌，治療一段時間後，醫生宣布他的生命只剩下三個月。他心想：剩下的生命要如何奉獻給人群？後來他決定將遺體捐出來，將來可發揮醫學解剖教學的功能，於是住進了慈院的心蓮病房。

第一次看到他時，令我印象很深刻——他滿面春風，臉上帶著自在的笑容。我問他：「來兩天了，身體有沒有比較好些？」他回答：「就像回到家一樣，很溫馨、很歡喜；我能吃、能睡，覺得很輕鬆。」我告訴他：「這段時間裡，你要盡量運動，到外面走一走或和大家聊聊天。」他說：「是啊！我可以當志工，和大家聊聊天，帶同病房的人出去外面走一走。」

果然，他真的在病房當起志工來。雖然他已經無法以體力服務病人，卻能夠用心靈的經驗去輔導病人；他自在、輕鬆的心態發揮很大的功能，讓整個安寧病房呈現一片開朗的氣氛。走進病房，我們不會覺得那些病人的生命已經到了末端。更令人感動的是：那天有一群學生來到他面前，面對幾百位學生，他仍然能夠很平靜地談生死，他對生命看得如此自在，確實很難得！

幾天前，他圓滿了榮譽董事的心願，我將皈依證送去給他，並提前為他授證為榮譽董事。他為了要接受皈依證和榮譽董事的授證，要求醫生把他的鼻胃管拔掉，他要乾乾淨淨、莊莊嚴嚴地接受我給他的皈依證和授證儀式。

他的人生，的確過得很自在！儘管生命已經到了末期，他還是這麼平靜、面帶笑容地面對一切。我告訴他：「難得你有這種修養，這是真功夫！修行人要學的就是這個，你現在已經做到了。死真的沒什麼好怕的，這是人生很自然的事。」

人往生時若沒有惶恐，就像睡著了一樣。其實，每個人每天都在「生死」之中——白天，忙於事業的付出或為人群服務、奉獻；累了一天，晚上就要休息、睡覺。有時睡覺也會作夢，我們的靈魂意識會脫離軀體，飄遊在身外的境界。

所以，我常說：「我們每天晚上睡覺就是『小死』，每個人一生都會有一番『大死』；就像人一生的工作做完了，可以休息——長眠了，那時就和睡覺時的境界一樣，意識脫離後的境界很飄然，沒有什麼痛苦。我們要訓練的是：在呼吸完全停止、往生後，不要輕易讓外面的境界誘引了！」

我們要記得把心定下來，知道自己要去哪裡？去了，還要再來人間。記得要發好願、做好事，這樣就能安定我們的心。不要在業識脫離之後，就隨著境界走了！這是平常要訓練的課題。

因此，我對他說：「不要怕，只要顧好自己的心。既然你發願生生世世要跟隨師父，再來做一個救人的人，這個念頭一定要堅定，其他就沒什麼好怕了！」他說：「我知道，我會聽師父的話。」

我說：「你能不怕談生死，安然地接受一切，實在很難得。」雖然我這麼說，心裡卻也很捨不得。但是，看到他如此平靜、臉上始終帶著笑容，這分自在安然，讓我覺得很安心。人生既然有「來」的一天，當然也會有「去」的一天，自在地來，就讓它自在地去吧！

說來很簡單，但是許多人對死亡仍會惶恐，這也是修行的功課。要如何訓練得很自在、沒有驚惶和恐怖？當然需要靠自己的力量和周圍親人的力量。他很幸運有一位好太太在身邊安慰、陪伴他走完人生最後的旅程。人生的最後若能了無遺憾，就能安然放下，甚至可以讓我們的慧命無限地延伸。

歡喜到終點

每天一樣的日出、日落，日子如出一轍地過去。但是在這天地之間，每一天、每一刻都有不同的事情發生。人、事、物不斷地發生、消滅，這世間確實很奇妙！給人快樂、歡喜，也給人悲痛、慘淒之感——這都是在每天的日子裡所發生的。從無到有、從有而消滅……，天天循環著這些生滅的問題。

看看在事物方面，有很多本來沒有的東西，只因為有人用心去研究及執行，終於有了成果。但是，產生的事物，有時對人類的貢獻很大，有時卻也可能會帶來很大的殺傷力。

比如：火藥如果用在開路、鑿山方面，可以為人們節省很多勞力，對交通也是一大貢獻；一旦用在不法之處，對人類就會造成許多生離死別的苦痛。看看現在社會的暴力問題，槍枝、火藥的氾濫即是一例。

又如現在的電腦，對人類也是一大貢獻。透過它可以用來儲存龐大的資料、提升人類的通訊科技；但是，假如用在不軌之處，就會製造犯罪、煽動等紛亂人心的事件。所以，不論多麼尖端的產品，對人類的生活有多大的貢獻，卻同樣也可能對人類不利。

這些產品的發明都需要長時間的付出、用心研究，然後再試驗，不斷地推陳出新。這要經過多少個日出日落？事物總是每天在研究、在產生、在消滅；在人生道上，幫助人類的東西，同時也能毀滅掉人類的幸福。

總之，世間森羅萬象不斷地產生，不斷地消滅……。就如我們人類，每天都有人出生，但也不斷有人死亡，生滅都是在這天地間發生；日子過得很快，人事的生滅變異也一樣很快啊！

有一年中秋，許多慈濟人圍坐在精舍外面的草坪廣場上互相娛樂，載歌載舞，共度了一個很歡樂的中秋夜。隔天早晨，在志工早會的心得分享中，我讚歎每一位慈濟人能夠互相娛樂、聯誼；有從國外回來的，有本地的，還有從外地來的，真是「天下一家親」。

那天，志工們照常到醫院關懷病人，一切都如平常的日子一樣。那天晚上，因為天氣很好，大家又圍坐在外面的草坪上，分享彼此的所見所聞。志工們不忘互相讚歎，提起昨天山地舞的美妙。這時，一位來自臺東的委員說：「為了這一天的山地舞，我們練了很多天耶！其實，只要幾個舞步，山地舞就能跳得很美。」大家就鼓勵她，請她教大家幾個舞步。

於是，她便起身準備教大家跳山地舞。但是，她才說完：「來啊！大家跟我一起來」時，突然就倒了下去。那時，大家還不知道發生什麼事，因為事情來得太突然。再看看她，發現情形不對，委員們馬上將她送醫急救。到達醫院時，她的眼睛還睜開，告訴大家：「我沒事啦！」說完，眼睛又闔下去——走了。

看看這樣的人生，在一秒鐘以前，她還很歡喜自在，昏倒後被送到醫院時，也是一樣自在，心無顛倒、意無貪戀。的確是「很好過」，一輩子就這樣過去了。

她先生說：「我太太生平就是這幾年做慈濟的期間最快樂、最歡喜，每一回若被通知到要當志工，她就高興得像小學生要去遠足一樣。」在慈濟當志工，做到最後的一秒鐘，一生過得這麼安然自在。

後事辦完之後，她先生說：「很感恩這段時間大家不斷地來幫忙、照顧。太太還未完成的工作，我會接下來做。」這一家人都是抱著菩薩心，這麼懂得感恩，真的很難得。

修行的目標，也是希望在這種沒有病痛、沒有掙扎、沒有惶恐，心無貪戀、意不顛倒的情況下，安然自在地往生，這樣的人生，多好！人生苦短，我們一定要好好把握時間，凡事要多用心去做。

留下典範在人間

慈濟的心蓮病房，曾有一位將近九十歲的慈濟人，她在人生的末端時，想要看看師父；我去看她時，她笑得好燦爛。我牽著她的手說：「妳跟隨師父多久了？」她說：「可能有三十幾年了。」我說：「有三十三年了。這些年來，妳也做了很多好事。」她說：「我傻傻的，沒有做什麼。」

我說：「哪裡？妳很有智慧。當年師父想做些什麼事時，就是由妳們開頭的，妳從每天存五毛錢開始，還提著菜籃到菜市場幫忙師父勸募，一直到現在。妳真的很有智慧。」她笑咪咪地對女兒說：「我準備要給師公的東西，妳趕快拿來。」我問她：「什麼東西要給師父啊？」她故作神祕地說：「等拿來再說。」

我看她女兒拿來一個珠寶盒時，就對她說：「我知道這是什麼東西了。」我接過後半開玩笑地問她：「這是要做什麼用的？妳怎麼會有這麼大的金戒指？妳真會藏私房錢！」她說：「那是我以前累積存來的，要給您蓋醫院。」我說：「好，師父替妳蓋醫院。現在妳的心有沒有很自在？記得要趕緊發願、跟緊師父，快去快回。」她就拉住我的手，我說：「就是要像這樣，常常拉緊我。」

她說：「不知道是否還能跟得上師父？」我說：「一定跟得上，只要妳心願堅定、念念清楚；來就來、去就去，一定可以的。」她好高興，笑咪咪地說：「謝謝師父！」

看她在最後的人生路上，笑得很開心，沒有一點愁容，讓我很安心。她走得很平順，這是否代表她這一生沒有坎坷呢？不是，是因為她的心很開闊，所以經常笑臉迎人。她常說：「我們是慈濟人，要聽師父的話，凡事要善解、包容，肚量要放大點。」

一般人常常會「雕琢」別人，批評別人。而這位老菩薩待人一向很寬厚，不只對親人、子媳很疼惜，尤其對所有的師兄姊們，從來沒有說過一句不滿的話。

她是個很容易滿足的人，擁有一點點就很知足、感恩。正因為她有這麼寬大的肚量，所以我常稱讚她很有修養。她說：「師父，我們是修行人，要做慈濟，什麼事都要放寬闊點，我們講話要講給人聽，做事要做給人看。」這是一句很簡單的話，但含有很深的哲理，也就是要——留下典範在人間。

她的離去對我而言，內心難免感到不捨，但是，我的「祝福」比不捨還多。因為對於一個將近九十歲的人生，一切應該是足夠了。再者，她雖然身有病但心沒病，人生已無遺憾，所以我應該要為她祝福。在人生的過程中能夠聽聞佛法，行菩薩道，確實是很有福。

生命的長與短，實在沒有一個定論。人生最要緊的是要看透生命；人身只不過是四大假合，就如一輛車子，如果這輛車子故障了，卻還要走在坎坷的道路上，那是非常危險、不智的。若是看得開、放得下，就可以再換一輛全新的、引擎很好的車子，然後再起步旅行，這就是全新的人生。

另外，有位委員也來醫院就醫，看到她在生死邊緣掙扎的痛苦，內心不免產生一種企盼——能好就趕快站起來，否則就趕快捨離吧！免得受盡病痛的折磨。

在她往生前我去加護病房看她，那時她的表情很安詳。我就跟她說：

「妳要師父跟妳說『快去，快來。』現在就是時候了，妳要趕緊去、趕緊來。慈濟的道路放在腳下，選擇了一條妳認為理想的路，不要迷於情（要覺有情），趕快再回娑婆世界來。」

她女兒也跟她說：「媽媽妳放心，慈濟的志業，我會替妳接棒。」我想，這句話給了她最大的安慰，也讓她能夠安心放下這輛「破車」，放棄崎嶇的道路，再去換一輛最有力的新車。

平時我們應該就要好好訓練，能夠自由地坐在駕駛座，也要能從容地離開駕駛座，不要被前面的路給迷住，不要被這輛車束縛了。該放下的就要放下，生命很奧祕，你說它強韌，它是很強韌——業不盡，斷不掉；你說它脆弱，它也很脆弱——緣盡了，又各自隨業流轉。

生命不過是存乎「一口氣」。有時要吞下這口氣並不容易；希望這口氣能夠繼續下去，也不容易啊！很多事情都由不得自己，而學佛要學得內心輕安自在。看看人生，有什麼好計較？最後帶走什麼？我想：若是有智慧的人，所帶走的就是覺悟之後的有情。這分「覺有情」就是行菩薩道的深緣，相信她再來的時候，會將這分覺情再帶回娑婆，作為度化眾生的因緣。

國家圖書館出版品預行編目資料

美的循環：談生生世世／釋證嚴著. -- 第一版.--臺北市：天下遠見，2000〔民89〕
面； 公分. --（社會人文；134）

ISBN 957-621-666-4（平裝）

1. 佛教-語錄

225.4 89001955

社會人文134

美的循環
——談生生世世

作　者／釋證嚴
系列主編／林蔭庭
責任編輯／靜思書齋．曾文娟
封面設計．美術設計／色相聲劇工作室
封面插畫／陳炳旭
美術編輯／李錦鳳
圖片來源／靜思文化
社　長／高希均
發行人暨總編輯／王力行
版權部主任／張慧倩
法律顧問／理律法律事務所陳長文律師、太穎國際法律事務所謝穎青律師
出版者：
天下遠見出版股份有限公司　台北市104松江路93巷1號二樓
讀者服務專線／(02)2662-0012　傳　真／(02)2662-0007；2662-0009
電子信箱／cwpc@cwgv.com.tw
直接郵撥帳號／1326703-6號　天下遠見出版股份有限公司
靜思文化志業有限公司　台北市忠孝東路三段217巷7弄19號
電話／(02)2783-7503　傳　真／(02)2653-6114
劃撥帳號／18469229　靜思文化志業有限公司
電腦排版／凱立國際印刷股份有限公司
製版廠／凱立國際印刷股份有限公司
印刷廠／盈昌印刷有限公司
裝訂廠／台興裝訂廠
登記證／局版台業字第2517號
總經銷／黎銘圖書有限公司　電　話／(02)2981-8089
出版日期／2000年3月31日第一版
2000年10月25日第一版第13次印行
定價／250元
ISBN：957-621-666-4
書號：GB134
BOOKzone 天下文化書坊　http://www.bookzone.com.tw

毛憶華